日本人は豚になる

三島由紀夫の予言

適菜 収
Osamu Tekina

KKベストセラーズ

日本人は豚になる——三島由紀夫の予言

私の中の二十五年間を考へると、その空虚に今さらびつくりする。私はほとんど「生きた」とはいへない。鼻をつまみながら通りすぎたのだ。

二十五年前に私が憎んだものは、多少形を変へはしたが、今もあひかはらずしぶとく生き永らへてゐる。生き永らへてゐるどころか、おどろくべき繁殖力で日本中に完全に浸透してしまつた。それは戦後民主主義とそこから生ずる偽善といふおそるべきバチルスである。

こんな偽善と詐術は、アメリカの占領と共に終はるだらう、と考へてゐた私はずいぶん甘かつた。おどろくべきことには、日本人は自ら進んで、それを自分の体質とすることを選んだのである。政治も、経済も、社会も、文化ですら。

（「果たし得てゐない約束」）

はじめに　わが友　三島由紀夫

二〇二〇年に私は四五歳になった。

正直、こんなに長生きするとは思っていなかった。

二〇歳くらいのときに重い病気にかかり、「三〇歳くらいまでは生きたいな」と思っていた。

その頃、三島の小説をよく読んでいた。

当時の私にとって三島は「歴史上の偉い人」という位置づけだった。

私が生まれる五年前に三島は市ヶ谷で自決したが、それは白黒写真の戦後史の一コマみたいな感じで、夏目漱石や川端康成といった文豪に並ぶ、どこか遠いところにいる人だった。

しかし、三島が書いた評論を全集ですべて読み、自分も三島が死んだ齢に近づくにつれ、「歴史上の偉い人」から「つい最近まで生きていた先輩」へ、「エキセントリックな右翼」

から「思いを同じくする保守主義者」とイメージが変わっていった。

要するに、生身の人間として、三島を捉えることができるようになった。

三島は膨大な量の小説、評論、戯曲を残した。しかも、それぞれが圧倒的なレベルである。これは異常としか言いようがない。

私は三〇歳でモノを書き始め、現在四〇冊くらい本を出しているが、単にたくさん書けばいいというものでもない。相当な精神の緊張がなければ、三島のような質の作品を書き残せるものではない。


三島は保守主義の本質を深く理解していた。

それは「近代」を理解していたことを意味する。

三島は多神教的なわが国の伝統を、大衆社会化（その背後にある唯一神教）からいかに守るかについて考えた。

そして日本国憲法における西欧的民主主義理念と天皇制を接着させる欺瞞を「西欧の神を以て日本の神を裁き、まつろわせた条項」と喝破した。

そこまで目が見えていた人間が、なぜ市ヶ谷でクーデター未遂事件を起こしたのか？

あの事件の意義を唱える人もいれば、単なる愚行と看做す人もいる。

私は「人間としての三島」について考えているうちに、いい意味でも悪い意味でも、三島に「人間くささ」を感じるようになっていった。

三島は《明日自分が豚になるかもしれないという恐怖》により動いていた。そして《日本刀を毎日磨くように》精神を研ぎ澄ました。

だから日本の行く末がよく見えた。

本書では三島の予言を追っていく。

適菜 収

『日本人は豚になる――三島由紀夫の予言』目次

第二章　バカとは何か？

第三章

死に方と生き方

第四章　キリスト教と民族の神

第五章　皇室と憲法

第一章　三島由紀夫の予言

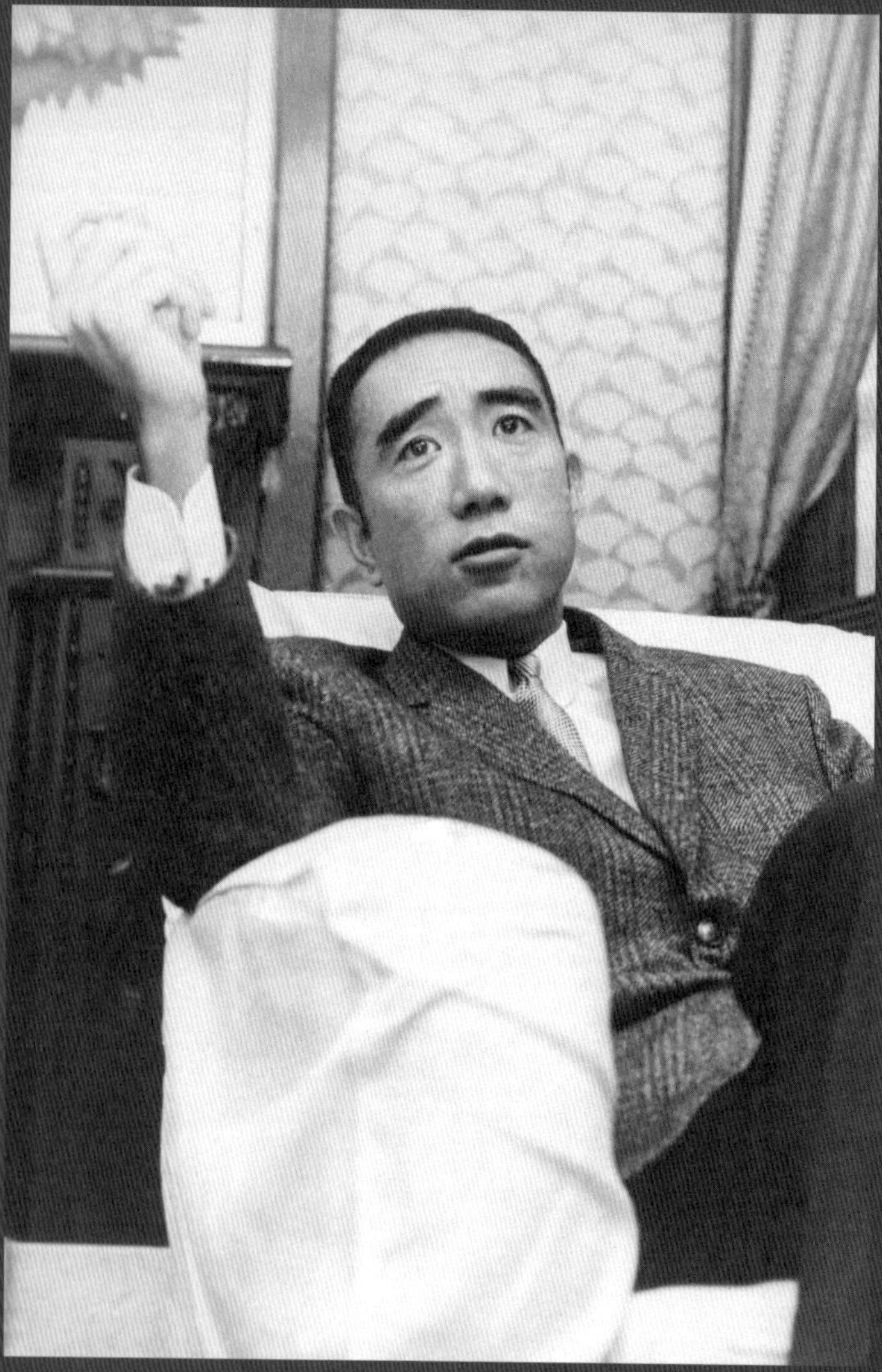

1966年1月1日、自宅のソファでくつろぐ三島。

右翼と保守の違い

保守主義者が右翼に転じたり、右翼が保守主義者になることは理論的にはありえる。
しかし、右翼であるのと同時に保守であることはありえない。
左翼であるのと同時に保守であることがありえないのと同じように。
保守と右翼は水と油だが、一方、左翼と右翼の親和性は高い。
右翼や左翼がともに理想主義であるのに対し、保守は反理想主義であるからだ。

三島由紀夫には二つの顔がある。
保守主義者としての三島と、右翼としての三島である。
三島は生涯を通して保守主義者だったが、晩年の数年間は右翼のように振る舞った。
だからどこかに反理想から理想への跳躍がなければならない。

芥川龍之介（1892-1927）／小説家。短編小説の名手。古典から題材をとったものが多い。

もちろん三島もそれに気づいている。

そしてそれを説明しようとした。

しかし「跳躍」は本質的に言葉で説明できるものなのか？

結局、三島は若い頃から全否定していた自殺を選んだ。

それにさえ、三島はロジックを組み立てた。

小説家としてではなく、武士として死ぬと。

……………

私は自殺をする人間がきらひである。自殺にも一種の勇気を要するし、私自身も自殺を考へた経験があり、自殺を敢行しなかつたのは単に私の怯惰《きょうだ》からだとは思つてゐるが、自殺する文学者といふものを、どうも尊敬できない。武士には武士の徳目があつて、切腹やその他の自決は、かれらの道徳律の内部にあつては、作戦や突撃や一騎打と同一線上にある行為の一種にすぎない。だから私は、武士の自殺といふものはみとめる。しかし文学者の自殺はみとめない。（「芥川龍之介について」）

………

私は次の部分が決定的に重要だと思っている。少し長い文章だが大事なところなので引用する。

………

ずつとあとになつて、私は他ならぬ太陽と鉄のおかげで、一つの外国語を学ぶやうにして、肉体の言葉を学んだ。それは私の second language であり、形成された教養であつたが、私は今こそその教養形成について語らうと思うのである。それは多分、比類のない教養史になるであらうし、同時に又、もつとも難解なものになるであらう。

幼時、私は神輿《みこし》の担ぎ手たちが、酩酊のうちに、いふにいはれぬ放恣な表情で、顔をのけぞらせ、甚だしいのは担ぎ棒に完全に項《うなじ》を委《ゆだ》ねて、神輿を練り廻す姿を見て、かれらの目に映つてゐるものが何だらうといふ謎に、深く心を惑はされたことがある。私にはそのやうな烈しい肉体的な苦難のうちに見る陶酔の幻が、どんなものであるか、想像することもできなかつた。そこでこの謎は久しきに亘《わた》つて心を占めてゐたが、ずつとあとになつて、肉体の言葉を学びだしてから、私は自ら進んで神輿を担ぎ、幼時からの謎を解明する機会をやうやう得た。その結果わかつたことは、彼らはただ空を見てゐたのだつた。彼らの目には何の幻もなく、ただ初秋の絶対の青空があるばかりだつた。しかしこの空は、私が一生のうちに二度と見ることはあるまいと思はれるほどの異様な青空で、高く絞り上げられるかと思へば、深淵の姿で落ちかかり、動揺常なく、澄明と狂気とが一緒になつたやうな空であつた。（「太陽と鉄」）

……………

「澄明と狂気とが一緒になつたやうな空」を見る自分を、一方で冷静に眺めている三島がそこにいる。三島にとって「肉体の言葉」もまた「一つの外国語」であり、「second language」であり、「教養」にすぎなかった。

結局、三島は最後まで保守主義者であり、右翼にはなりきれなかったのだと私は思うようになった。

「肉体の言葉」とは何か？

「澄明と狂気とが一緒になつたやうな空」とは何か？

理性より詩的直観を優先させることといえば簡単な話のように聞こえるが、三島の作品は、「自分が本当にそれを捉えているのか？」という葛藤・不安の上に成立しているように思える。本書ではこの問題について考えていきたい。

ハプスブルク家と死者の声

私はよく旅をする。

実際に行ってみないとわからないことが多いからだ。

ヨーロッパにはたくさんの国があるが、一度行った国は、周辺国との位置関係を間違えることはない。

テレビ番組で「日本の場所がわからない西欧人」みたいなありがちな企画があるが、日本人だってたとえばルクセンブルクの場所を正確に言えないのではないか。

アジアの国々は学生の頃にほとんど回ったが、ここのところはヨーロッパに行くことが多い。

数年前にはオーストリア、チェコ、ドイツに行った。

ウィーンからチェスキー・クロムノフを経由し、プラハへ。そこからは高速バスに乗り換え、ミュンヘンに行った。二週間程度で見て回れるものでもないが、気づいたことはたくさんあった。文化や芸術という側面においても、それぞれの国の「位置関係」を理解することができる。

つい先日、自宅近所の図書館に行って書棚を眺めていると、『身体巡礼』（養老孟司）という文庫本があった。【ドイツ・オーストリア・チェコ編】とあったので、旅の復習も兼ねて借りてきた。

養老孟司（1937-）／解剖学者。人の営みは脳という器官の構造に対応しているという「唯脳論」を提唱。

ちなみに旅は準備する時間も楽しいが、帰ってきた後に関連する情報を調べるのも楽しい。一度行ったことがある国なら、理解のスピードも速い。

それでこの本を読んでみたが、旅行記というより、中欧における死生観について書かれた本だった。

ハプスブルク家の一員が死ぬと、心

臓を取り出して銀の容器に入れ、ウィーンのアウグスティーン教会のロレット礼拝堂に収める。肺、肝臓、胃腸など心臓以外の臓器は銅の容器に入れシュテファン大聖堂の地下に置く。残りの遺体は青銅や錫の棺に入れ、カプチン教会の地下に置く。つまり、遺体は三カ所に埋葬される。

養老はこう述べる。

・・・・・・・・・

少なくともハプスブルク家の埋葬儀礼からすれば、王家が身体にこだわっていることは確かである。その根拠を、私は二人称の死だとする考えに、いまでは傾いている。(中略)

まず第一に、一人称の死体は存在しない。自分の死体というものは「ない」。自分の死体が生じたときには、それを見る自分がいない。(中略)次に二人称はなかなか死体にならない。その人だとわかる部分が残存する限り、それはその人そのものなのである。自分の親の死体を指して「死体」と表現する人はいない。さらにいえば、それこそサルだって、自分の子どもの死体をしばらく抱き歩いたりする。(中略)とくに親しかった人にとって、死者は年月を経ていわばゆっくりと死んでいく。(『身体巡礼［ドイツ・オーストリア・チェコ編］』)

……………

初七日から一周忌、三回忌と法事を続けるのは死者がなかなか死んでくれないからだと養老は言う。

客観的な死、数字としての死だけでは、わりきれないのが人間である。

黒澤明の映画『夢』のワンシーン。敗戦後、復員した陸軍将校の前に戦死した小隊の亡霊が現れる。彼らは自分たちが死んでいることを理解できずに彷徨している。成仏できない。

残された側だけでなく、死んだ人間でさえ、なかなか死ぬことができないのだ。

日本学者のドナルド・キーンは、日本人の美意識の多くは禅から派生したものであり、その一つの完成形が能であると言う。

……………

役者登場に先立って聞こえて来る、あの唸り声にも似た囃子の声、そして耳ざわりにも思える鼓や笛の音楽は、あるいは現代の観客をいらだたせるかもしれない。しかしそれによって、普通の科白だけでは到底感じ取れないような、深い感動を受ける観衆も少なくないのだ。なぜならそうした声や音楽は、死者の国と生者の国をへだてる距離を暗示し、また過去の苦悩、あるいは再生の苦しみを体験するために、亡霊たちをこの世に再び呼び戻した、現世へのあの恐ろしいまでの執着も、おそらく暗示してくれるからである。(『日本人の美意識』)

……………

「能や狂言が好きな人は変質者」と言った橋下徹という人物がいる。

橋下は自分の敵を正確に見抜いた。

橋下が恐れているのは、日本人の美意識であり、祖国のために命をかけてきた厖大な数の死者の声であり、死者と共存する日本の歴史そのものだった。

三島は「死者」に向き合い続けた。

数値化、概念化した「近代的な死」で間に合わせようとしている現代人に異議を表明し、死について書き続けた。

首里城焼失と金閣寺

二〇一九年一〇月三一日、沖縄の首里城で火災が発生。正殿、北殿、南殿が全焼。主要建造物計七棟が延焼した。電気設備がショートを起こした可能性が高いという。

で、例によって頭のおかしいネトウヨが「韓国人か中国人が放火」などとデマを流していた。

さらにネトウヨ向けのデマサイトが《玉城知事、沖縄PRのため韓国へ「沖縄を訪れるよう要請」→ネット「世界遺産が燃えてるんやで?」「首里城より韓国」》という記事で事実を歪曲。知事が韓国へ出発したのは一〇月三〇日で、火災の前日。知事は火災を受け、予定を切り上げて三一日に帰国。時系列を見ればわかるように、ネトウヨがやっているのは、沖縄に対する卑劣な嫌がらせである。

「自称保守」「ビジネス右翼」「愛国カルト」界隈では、「沖縄の米軍基地反対派はけしからん」ということになっているらしい。「外国の軍隊は日本に駐留するな」というのが「けしからん」のだから属国の奴隷根性もここに極まったと言うべきだろう。

金閣寺が焼失したのは一九五〇年七月二日である。国宝の舎利殿が全焼、創建者である室町幕府三代将軍足利義満の木像（当時国宝）、観音菩薩像、阿弥陀如来像、仏教経巻など文化財六点も焼失した。

その後、同寺子弟の見習い僧侶が放火の容疑で逮捕された。

三島はこの僧侶をモデルに小説『金閣寺』を書いた。

主人公の若い僧は、金閣を焼くことを思いつく。

………

考え進むうちに、諧謔《かいぎゃく》的な気分さえ私を襲った。『金閣を焼けば』と独言した。『その教育的効果はいちじるしいものがあるだろう。そのおかげで人は、類推による不滅が何の意味もたないことを学ぶからだ。ただ単に持続してきた、五百五十年のあいだ鏡湖池畔に立ちつづけてきたということが、何の保証にもならぬことを学ぶからだ。われわれの生存がその上に乗っかっている自明の前提が、明日にも崩れるという不安を学ぶからだ』（『金閣寺』）

…………

バートランド・ラッセル（1872-1970）／哲学者、論理学者、数学者、政治活動家。

もちろん三島が主人公に語らせた「教育的効果」など戦後の日本に発生するわけもなかった。逆に「類推による不滅」という幻想により、家畜の群れが、主人（アメリカ）に全力で媚びを売るようになった。

イギリスの哲学者バートランド・ラッセルの「七面鳥の寓話」を紹介しておく。

…………

ある七面鳥が毎朝九時に餌を与えられていた。
暖かい日も寒い日も雨の日も晴れの日も朝の九時になると餌が出てきた。
慎重な七面鳥はすぐに答えを出さなかった。
しかし、無数の観察を続けた結果、ついにそこに相関関係を見いだす。
明日の朝九時にも餌をもらえるはずだと。
帰納法により一般法則を打ち立てたわけだ。
しかし、その翌日には七面鳥の確信は裏切られることになる。
その日は、クリスマス・イブだった。

……………

バカは死ななきゃわからない。

世界の静かな中心であれ

安倍晋三（1954-）／連続在職日数が単独歴代最長になった総理大臣。

以前、安倍晋三とラノベ作家の百田尚樹が『日本よ、世界の真ん中で咲き誇れ』という愚にもつかない対談本を出していた。その中で安倍は「世界の歴史を振り返っても、一国のリーダーが判断を誤ったために国が滅びたことは何度もある」などと言っていたが、実際、そうなってしまった。

三島の読者なら、このタイトルから次

の文章を連想するだろう。

……………

古代ギリシア人は、小さな国に住み、バランスある思考を持ち、真の現実主義をわがものにしてゐた。われわれは厖大な大国よりも、発狂しやすくない資質を持つてゐることを、感謝しなければならない。世界の静かな中心であれ。(「世界の静かな中心であれ」)

……………

安倍は「政治も外交もリアリズムが大切だ」と言う。しかし、リアリズムが完全に欠如しているから政治も外交も失敗したのだ。

安倍と周辺の一味は、国を乱し、世に害を与えてきた。

二〇二〇年八月二八日、安倍は「本年六月の定期検診で、(潰瘍性大腸炎)再発の兆候がみられると指摘を受けました」などとお涙頂戴の辞任会見を行い、直後に支持率は急上昇した。連中はメディアに事前リークして病院通いを大々的に報道させてきたが、谷口智彦内閣官房参与の証言によれば、九月一一日には安倍はコース料理を完食し、酒まで飲んでいる。

持病の再発の徴候があったと主張する六月以降も、安倍は高級レストランで宴会三昧。九月二三日の読売新聞のインタビューでは、ほとぼりも冷めたとばかりに、「首相から求められれば、（外交特使など）様々なお手伝いもしたい」などと述べていた。

盗人猛々しい。

対米、対ロシア、対中国、対北朝鮮……。外交で失敗を重ね、「桜を見る会」や森友学園問題などあらゆる疑惑の追及から逃げ出しただけではないか。

連中が示しているのはバランスある思考の欠如であり、現実主義の対極にある妄想であり「発狂」そのものである。

・・・・・・・・・

今年こそは政治も経済も、文化も、本当のバランス、それこそスレッカラシの大人のバランスに達してほしいと思ふのは私一人ではあるまい。小さいバランスではなく、楽天主義と悲観主義、理想と実行、夢と一歩一歩の努力、かういふ対蹠的なものを、両足にどつしりと踏まへたバランス、それこそが本当の現実的な政治、現実的な経済、現実的な文化であると思ふ。

日本もつひに、野球選手と映画スタアと流行歌手の国になつてしまつたか、などというのもヒステリックな詠嘆にすぎない。野球や映画や流行歌がなくつたつて人間は生きてゆけるのだが、さういふ不必要なものが生活の関心の大きな部分を占めるだけ、余裕のできたことを喜ぶべきだ。ただ不必要なものに大さわぎをして、もつと必要なもの、安定した職や住宅や良い道路などのために大さわぎをしないのが、いかにもアンバランスで、今年こそは必要と不必要の双方を踏まへたバランスがほしい。(同前)

・・・・・・・・・

これは一九五九年元旦の読売新聞に載った文章だ。

さすがの三島も正月から世の中に罵声をあびせるようなことはしなかったのだろう。しかし、文章の趣旨は「日本は大人のバランスを持った国ではない」ということである。

バランスとは何か？
決断をすぐに出さずに考え続けることである。
矛盾を抱え込むことである。
そして思考に常に現実を織り込み続けることである。
イデオロギーで裁断するのは簡単だ。方程式に当てはめれば簡単に答えを導き出せる。
そして導き出した「正義」を叫べばいい。
世界の真ん中で咲き誇っていればいい。
そういう連中を一般に「花畑」と呼ぶ。

お茶漬けナショナリズムについて

一時期、書店にネトウヨ本があふれていた。情弱向けの自称保守系雑誌もそこそこ売れているみたいなので、「愛国ブーム」も完全に終わったわけではないのだろう。

興味深いのは、こうした動きは日本が三流国に転落していくのと軌を一にしていることだ。自信がなくなってきたので、ことさらに「日本スゴイ」と叫ばなければならなくなる。

しかし、本当に一流の人間は「私は一流です」とは言わない。

クズに限って、言葉の端々に「自分は一流アピール」を組み込む。

昔、シンガポールで鮨チェーンを経営している社長に会ったら、いきなり財布からブラックカードを取り出して「今日はこれで払います」と言う。ブラックカードを見せつけたかったらしい。子供かよ。

これは本当の話かどうか知らないが、一部の韓国人エリートは、自己紹介のとき、名前より先に学歴を言うらしい。「私はソウル大学出身です」みたいな。

話が少しそれたが、三島は「愛国心」が嫌いだった。

………

実は私は「愛国心」といふ言葉があまり好きではない。何となく、「愛妻家」といふ言葉に似た、背中のゾッとするやうな感じをおぼえる。この、好かない、といふ意味は、一部の神経質な人たちが愛国心といふ言葉から感じる政治的アレルギーの症状とは、また少しちがつてゐる。ただ何となく虫が好かず、さういふ言葉には、できることならソッポを向いてゐたいのである。

この言葉には官製のにほひがする。また、言葉としての由緒ややさしさがない。どことなく押しつけがましい。反感を買ふのももつともだと思はれるものが、その底に揺曳《ようえい》している。（「愛国心」）

……………

一流の人間が「私は一流です」と言わないのと同じで、愛国者を自称するようなやつが愛国者だったためしがない。実際、わが国では愛国者を自称する連中・メディアがその対極にある新自由主義勢力・反日カルトを担ぎ上げてきた。

三笠宮崇仁親王（1915-2016）／皇族。三笠宮家初代当主。歴史学者。昭和天皇の弟。

思想の根幹がデタラメだから、ご都合主義の愛国になる。歴史の断片を拾い集めて「これが真実の歴史だ」と大声を上げる。

三笠宮崇仁親王はこうおっしゃった。

……………

偽りを述べる者が愛国者とたたえられ、真実を語る者が売国奴と罵られた世の中を私は経験してきた。（「日本のあけぼの 建国と紀元をめぐって」）

…………

今の時代も同じだ。

三島は言う。

…………

低開発国の貧しい国の愛国心は、自国をむりやり世界の大国と信じ込みたがるところに生れるが、かういふ劣等感から生れた不自然な自己過信は、個人でもよく見られる例だ。私は日本および日本人は、すでにそれを卒業してゐると考へている。ただ無言の自信をもつて、偉ぶりもしないで、ドスンと構へてゐればいいのである。さうすれば、向うからあいさつにやつてくる。貫禄といふものは、からゐばりでつくるものではない。

そして、この文化的混乱の果てに、いつか日本は、独特の繊細鋭敏な美的感覚を働かせて、様式的統一ある文化を造り出し、すべて美の視点から、道徳、教育、芸術、武技、競技、作法、その他をみがき上げるにちがひない。できぬことはない。かつて日本人は一度さういふものを持つていたのである。（「日本への信条」）

・・・・・・・・・

この三島の判断は甘かったとしか言いようがない。

日本人は「劣等感から生れた不自然な自己過信」を卒業しなかった。

そして文化や美の視点を破壊することにかけては、圧倒的な才能をみがき上げたのである。

逆に言えば、三島の時代にはこうした希望がまだ残っていたということだ。

だから私は次のような文章には、三島の趣旨と逆の印象を抱くようになった。

・・・・・・・・・

外国へ行くと愛国者になるというが、一概にさうしたものでもあるまい。日本にいて、日本のよさがわからないやうな人が、もつと遠くへ行つてわかるやうになるといふ理屈はないのである。それは大方、やつぱり刺身が恋しいとか、おみおつけが恋しいとかといふ、他愛のない愛国心であろう。(「お茶漬けナショナリズム」)

………

私が学生の頃は、海外に行くと物価が安いなと感じた。今は逆になりつつある。飲み歩くのには日本はとてもいい国である。

各国の料理があり、洗練されている店もそれなりにある。きちんとした鮨屋では職人がきれいに包丁を使っている。

平成の三〇年で国家が破壊しつくされた現在、「お茶漬けナショナリズム」「刺身が恋しいといふ他愛のない愛国心」は日本人の最後の牙城になるのかもしれない。

死の分量

時間は記憶に関係している。だから、死んだら時間は流れない。

死後の世界も多分ない。

昔、全身麻酔を受けたとき、時間が流れている感覚がまったくなかった。手術室に運ばれ、医者が「これから手術を始めます」と言うので、「わかりました」と答えようとした瞬間に、「終わりました」という声が聞こえた。その次に目を覚ましたのは、集中治療室の中だった。あれと同じようなものだと思う。

あるオッサンと話をしたときのことだ。彼は六五歳である。

老後の話題になったとき、彼はこう言った。

「オレの親父は八〇歳で死んだ。だからオレにはあと一五年残されている」

え？

彼の父親が死んだ年齢とそのオッサンが死ぬ歳はなんの関係もない。ついでに言えば、平均寿命と個人の寿命もなんの関係もない。生まれた瞬間に死ぬやつもいれば、一〇〇歳以上生きるやつもいるというだけの話。

つまり、死が数字になってしまっている。

自分の死に関してさえ、統計になってしまっている。

三島は言う。

……………

われわれはもう個人の死というものを信じてゐないし、われわれの死には、自然死にもあれ戦死にもあれ、個性的なところはひとつもない。しかし死は厳密に個人的な事柄で、誰も自分以外の死をわが身に引受けることはできないのだ。死がこんな風に個性を失つたのには、近代生活の画一《かくいつ》化と画一化された生活様式の世界的普及による世界像の単一化が原因してゐる。(「死の分量」)

……………

小学生の頃、私は死ぬのが怖くなった。死んだら、焼かれて、暗い墓の中にずっといなくてはならないのかと。しかし、大人になったら怖くなくなった。痛いのや苦しむのは嫌だけど、お迎えがきたらさっさと死にたいと思うようになった。

京都の嵐山あたりを散歩していて、苔がたくさんあると、今すぐここで死にたいと思う。昔から「畳の上で死にたい」という言葉があるが、私は苔の上で死にたい。

「はじめに」でも書いたが、私は何度か死にかかったことがあるので、常に死と一緒に歩いているようなところがある。だから、死ぬ前に読んだほうがいい本から読むし、死ぬ前にやっておいたほうがいいことからやろうと思っている。お金がなくてもおいしいものを食べる。やりたくないことは死んでもやらない。死を意識すると、こうした選択の基準はわかりやすくなる。

三島は言う。

・・・・・・・・・

宗教の力は微弱になり、宗教の地位に、映画やテレヴィジョンを含む各種の観念的娯楽がとつて代り、文学の少なからぬ部分もこれに編入されることになつた。それらは毎日、性的放縦の観念と殺人の観念を、水でうすめて、ヴィタミン剤のやうに供給してゐる。いたるところにエロチシズムが漂ひ、従つて死の匂ひが浸潤してゐる。（中略）火葬場のある町に住んでゐる人のやうに、かくてわれわれは死の稀薄な匂ひに馴らされて、本当の死を嗅ぎ分けることができない。（「エロティシズム」）

・・・・・・・・・

《あだし野の露消ゆる時なく、鳥部山の煙《けぶり》立ち去らでのみ、住み果つる習ひならば、いかにもののあはれもなからん。世は定めなきこそ、いみじけれ》

兼好法師の『徒然草』の有名な一節である。あだし野や鳥部山のあたりは、平安時代中期以降、火葬場だった。嵐山を歩いていると、最近は外国人ばかりである。そのうちの八割くらいは中国人か。たまに日本語が聞こえてくる程度だ。スマートフォンを棒の先につけ、自分を撮影している外国人も多い。そんなに自分が好きなのか。

自撮り棒で撮影するのに熱中し、足を踏み外したりして死ぬやつは多い。チープな「死に方」にしてもほどがある。

兼好法師（1283頃-1352以後）／本名は卜部兼好。日本三大随筆の一つ『徒然草』の作者。

自分の死が数字になるということは、当然、他人の死も数字にすぎなくなる。ドイツ出身の哲学者ハンナ・アレントは言う。

・・・・・・・・・

十九世紀の初頭以来、多くのすぐれた歴史家や政治家が大衆時代の到来を予言してきた。前世紀の半ば以

ハンナ・アレント（1906-1975）／哲学者、思想家。ナチズムの台頭で米国に亡命。

来、大衆心理学に関して膨大な書物が現れ、民主主義と独裁、モッブ支配と専制の間の親近性についての、古代にはきわめてよく知られていた古い教えをありとあらゆる形で述べ立ててきた。疑いもなくヨーロッパの政治学者たちは、少なくともヤーコプ・ブルクハルトとニーチェ以後は、デマゴーグと軍事的独裁の擡頭についても、迷信、軽信、愚行、残虐の跋扈についても準備ができていた筈である。

これらの予言は今やすべて現実となった。しかし大抵の予言がそうであるように、それらは予言者が予期しなかった仕方で実現したのである。彼らがほとんど予見していなかったこと、もしくはその本来の結果について正しく見通せなかったことは、徹底した自己喪失という全く意外なこの現象であり、自分自身の死や他人の個人的破滅に対して大衆が示したこのシニカルな、あるいは退屈しきった無関心さであり、そしてさらに、抽象的観念に対する彼らの意外な嗜好であり、何よりも軽蔑する常識と日常性から逃れるためだけに自分の人生を馬鹿げた概念の教える型にはめようとまでする彼らのこの情熱的な傾向であった。(『全体主義の起原』)

……………

近代とは世界を数値化・概念化する運動だった。

そして死すら画一化され、管理されるようになった。

「文化意志」とは何か？

私は高校生の頃、古文が嫌いだった。

普段使っている現代の日本語があるのに、なんでわざわざ昔の言葉を覚えなければならないのかと思っていた。そんなのは一部の右翼が自己満足でやっている「文化事業」にすぎず、そんなにすばらしいことが書いてあるなら、現代語に訳したものを読めばいいではないかと。

ドイツの詩人、劇作家、小説家、自然科学者、政治家、法律家であるヨハン・ヴォルフガング・フォン・ゲーテは言う。

・・・・・・・・・

子どもは実在論者だ。というのは、子どもは自分の存在と同じようにナシやリンゴの存在を確信しているから。青年は内部の情熱に襲われてはじめて自分の存在を予感し、自分を意識する。青年は観念論者へと変わるのである。しかし壮年は、懐疑論者となるあらゆる理由を持っている。自分が目的のために選んだ手段が正しいかどうか、疑わざるをえないのだ。選択をあやまって後悔しないために、行為の前に、行為と同時に、彼は当然知性をはたらかせなければならないのである。

最後にしかし老年は、神秘主義者であることを常に告白するだろう。彼は多くのことが偶然に懸《かか》ってるのを知る。非合理的なものが成功し、合理的なものが失敗する。（「箴言と省察」）

ヨハン・ヴォルフガング・フォン・ゲーテ（1749-1832）／代表作に『ファウスト』など。

…………

若者はバカなので合理主義的である。

文章は「内容」だと思っているので、そこから「情報」しか読み取ることができない。それが示す「型」「フォーム」を共有しようとはしない。

それに気づいたので、私は大人になってから古文の勉強を始めた。

といっても、何かの試験を受けるわけでもないし、高校生が必死になって単語や文法を頭の中に押し込むような勉強ではなくて、現代語訳と突き合わせながら、ゆっくり楽しみながら古典を読んでいくというやり方になった。

ここのところはひたすら源氏物語を読んでいる。

①原典、②現代語訳（與謝野晶子訳）、③解説書。これらを同時に読み進め、それを追いかけるような形で④林望訳、⑤谷崎潤一郎訳を読んでいる。しかもなるべく遅く読むようにしているので、いつまで経っても終わらない。それでいいかと。読んでいる時間こそが大事なのだ。

三島は若い頃から古典をきちんと読んでいた。

…………

私の古典耽読《たんどく》は、当時右翼国文学が全盛であつた勢ひと、学校の先生の指導によるもので、「大鏡」などは好きな古典であつた。王朝日記類、謡曲などを、手あたり次第に読むうちに、今度は上田秋成が好きになり、さらに浄瑠璃をめちやくちやに読んだ時代がある。今でも私は浄瑠璃の珍妙な文体に愛着を抱いてゐる。(「ラディゲに憑かれて」)

…………

古典は何から読めばいいのかという問題に三島は答えている。

…………

古典といふと、万葉集、源氏物語、近松、西鶴といふばかりが能ではあるまい。自分で読んで、自分の好みの古典を見つけるべきである。国文学者の常套的解釈などにたよつて古典を評価しないこと。

私の好みからいふと、古今集が、まづ面白い。古今集の美学は、本当の意味で古典的なものである。情感的でなく知的であり、均整美に集中され、新古今集のやうなデカダンスがない。平安朝文学では、もう一つ、大鏡をあげておく。線の太い文体で、引きしまつていて、何度読んでも含蓄がある。

中世文学では文学としての謡曲。このアラベスク的文体の不思議に酔はない人は、日本語の音楽的美感につんぼの人である。

近世の浄瑠璃では、半二（近松半二）や出雲（竹田出雲）に隠れた名文がある。出雲の蘆屋道満大内鑑《あしやどうまんおおうちかがみ》の道行《みちゆき》の文章など、ファンタスチックな詩情にあふれたものである。（「わが古典」）

・・・・・・・・・

三島もまた「均整美」「線の太い文体」に注目する。

やはり「型」「フォーム」なのだ。

三島はものの考え方、感じ方、生き方、審美観のすべてを、無意識裡に支配するものを文化と呼んだ。それは普段は空気や水のように当たり前のように使われているが、それなしには死なねばならぬという危機の発見に及んで、強く成員の行動を規制し、その行動を様式化する。

三島は一時代の文化を形成する端緒となった意志的な作品群を「文化意志」と呼び、「日本文学小史」において列記した。

（一）神人分離の文化意志としての「古事記」
（二）国民的民族詩の文化意志としての「万葉集」
（三）舶来の教養形成の文化意志をあらはす「和漢朗詠集」
（四）文化意志そのものの最高度の純粋形態たる「源氏物語」
（五）古典主義原理形成の文化意志としての「古今和歌集」
（六）文化意志そのもののもっとも爛熟《らんじゅく》した病める表現「新古今和歌集」
（七）歴史創造の文化意志としての「神皇正統記」
（八）死と追憶による優雅の文化意志「謡曲」
（九）禅宗の文化意志の代表としての「五山文学」

（十）近世民衆文学の文化意志である元禄文学（近松・西鶴・芭蕉）
（十一）失はれた行動原理の復活の文化意志としての「葉隠」
（十二）集大成と観念的体系のマニヤックな文化意志としての曲亭馬琴

このあたりの作品は現代語訳でもいいので、読んでおいたほうがいい。

一次的な作品を理解しておくことは大人のマナーである。

たとえば音楽について話をするとき、モーツァルトを知らない人とは会話が成立しない。

それと同じ。

戦後民主主義というバチルス

私はこれまで政治についていろいろ書いてきたが、実は政治にほとんど興味がない。政治学を集中して勉強したこともない。近代大衆社会がどのような壊れ方をするのかに興味があるので言及しているだけで、自分の発言が世の中を変える可能性があると思ったことは一度もない。時代の流れに抵抗したり、スピードを弱めることくらいはできるかもしれないが、それさえもほぼ不可能だと思っている。

世の中には抗ってもあがいてもムダなことはたくさんある。死にたくないと思っていても、人はそのうち必ず死ぬ。

では何のために文章を書いているかというと、精神の衛生のためである。目の前にゴキブリがいたら、叩き潰すのと同じ。

思えてくる。

「はじめに」でも述べたが、昔は「歴史上の偉い人」だった三島が、今では友達のように思えてくる。

その気持ちがよくわかる。

ただ憤慨して死んだところでムダである。その死ですら、年に一回のお祭り騒ぎで消費されるだけだ。

だから、正気を保つための養生訓が大切になる。

まともなものだけを食べ、まともなものだけを読み、まともな人間とだけ付き合ったほうがいい。

自分から進んで世俗にまみれる必要もない。

本音を言えば隠遁したい。

汚いものは見たくない。

バカとは付き合いたくない。

三島もそうだったのだろうが、彼の欠点はまじめすぎることだった。


…………

それよりも気にかかるのは、私が果たして「約束」を果たして来たか、といふことである。否定により、批判により、私は何事かを約束して来た筈だ。政治家ではないから実際的利益を与へて約束を果たすわけではないが、政治家の与へうるよりも、もつともつと大きな、もつともつと重要な約束を、私はまだ果たしてゐないといふ思ひに日夜責められるのである。その約束を果たすためなら文学なんかどうでもいい、といふ考へが時折頭をかすめる。これも「男の意地」であらうが、それほど否定してきた戦後民主主義の時代二十五年間を、否定しながらそこから利得を得、のうのうと暮らして来たといふことは、私の久しい心の傷になつてゐる。

個人的な問題に戻ると、この二十五年間、私のやつてきたことは、ずいぶん奇《き》矯《きょう》な企てであつた。まだそれはほとんど十分に理解されてゐない。もともと理解を求めてはじめたことではないから、それはそれでいいが、私は何とか、私の肉体と精神を等価のものとすることによつて、その実践によつて、文学に対する近代主義的妄信を根底から破壊してやらうと思つて来たのである。（「果たし得てゐない約束」）

………

こうした「男の意地」は何の役にも立たないと思う。

誰も三島と「約束」したとは思っていないのだ。

その時代に生きることは偶然であり、個人の責任ではない。そもそも近代は構造の問題なのだから「心の傷」を覚える必要もない。

ツァラトゥストラは世俗に呆れ果て、山に隠遁した。

あきらめるのも逃げるのも一つの方法である。

そして、機を見て山を下りるのである。

第二章
バカとは何か？

ダンヌンツィオの『聖セバスチァンの殉教』を共訳した池田弘太郎と＝1966年10月撮影。

〝サムライ〟は死んだのか?

ツイッターで青色の認証マークがついているフォロワーを調べると、私の場合、政治家が八割くらいである。私の発言に賛同してくれている人もいるのだろうし、「適菜が何かおかしなことを言っていないか」と偵察のためにフォローしているやつもいるかもしれない。

自民党の国会議員にも知り合いは何人もいる。一緒に酒を飲みに行ったこともある。それで以前、フェイスブックとツイッターにこう書いた。

……………

オウム真理教の幹部の中に一人か二人、いい人がいたとしても、社会全体から見れば、麻原彰晃と同類の敵なんですよ。自民党内部の反安倍も具体的に行動しなければ、日本の敵とみなされる。これは当たり前の話。ここまで来て動かなければ、安倍周辺の連中より、タチが悪い（二〇二〇年二月六日）。

…………

本当によくわからない。国を守るのか、党を守るのか、当面の食い扶持を守るのか。何のために政治をやっているのか。それ以前に何のために生きているのか。

私は別に食うあてもなかったが、産経新聞とかあの類の連中の悪質さがわかったとき、一切仕事の関係を断った。『正論』『Hanada』『WiLL』の編集部に電話をかけて、今後一切見本誌を送ってくるなと言った。

三島は言う。

…………

この間の金嬉老事件で私がもつともびつくりぎやうてんしたのは、金嬉老、及びそのまはりに引き起された世間のパニックではなかつた。それは金嬉老の人質の中の数人の二十代初期の青年たちのことであつた。彼らはまぎれもない日本人であり、二十何歳の血気盛んな年ごろであり、西洋人から見ればまさに〝サムラヒ〟であるべきはずが、つひに四日間にわたつて、金嬉老がふろに入つていても手出し一つできなかつた。

われわれはかすり傷も負ひたくないという時代に生きてゐるので、そのかすり傷も負ひたくないといふ時代と世論を逆用した金嬉老は、実にあつぱれな役者であつた。そしてこちら側にはかすり傷も負ひたくない日本青年が、四人の代表をそこに送り出してゐたのである。（「若きサムラヒのための精神講話」）

…………

金嬉老（1928-2010）／在日韓国人二世。1968年に殺人を犯し、監禁篭城した。当時39歳。

一九六八年（昭和四三）二月、在日朝鮮人金嬉老が暴力団員を射殺したのち、寸又峡温泉の旅館に宿泊客を人質にとって立て籠り、民族差別を告発した。金は逮捕され、裁判で無期懲役が確定。九九年（平成一一）に仮釈放後、韓国に出国した。

私は以前「逆賊ブルース」という曲の歌詞を書いたが、裏に込めた意味は、近くにいる人間が問題のある人物に手出しの一つもできないということである。なお、歌詞の内容が少し危ないということで一部修正されてしまい、わかりにくくなってしまった。

三島は言う。

………

泰平無事が続くと、われわれはすぐ戦乱の思ひ出を忘れてしまひ、非常の事態のときに男がどうあるべきかといふことを忘れてしまふ。金嬉老事件は小さな地方的な事件であるが、日本もいつかあのやうな事件の非常に拡大された形で、われわれ全部が金嬉老の人質と同じ身の上になるかもしれないのである。（同前）

…………


三島の予言は的中した。

安倍晋三という金嬉老は、国家に対し、テロを仕掛けた。

それを疑問に思っていても、次の選挙が怖くて、かすり傷ひとつ負いたくない連中が、周囲を固めていた。

〝サムラヒ〟は死んだのである。

無知と無恥

ものを知らないのは構わない。
ものを覚えればいいだけだからだ。
困るのは無恥である。
恥を知らないから、声が大きい。
以前、こんなことがあった。
私は以下の文言をツイッターに投稿した。

…………

「だったらどんな総理大臣がいいんだ?」と聞かれました。私は総理大臣は哲人である必要はないと思っております。まずは常識人であること。人の痛みがわかること。義務教育終了程度の学力。最低限の品性。そして自分の役職や権限がわかっていること。「私は立法府の長」とか言う狂人は論外です。

………

するとBというやつから、次のようなリプが来た。

………

立法府の長って言ったのはあってるよ！知ってます？
政府と国会議員は立法するのが仕事なので何をバカな事を言ってるんですか？

………

総理大臣は行政府の長である。

立法府の長は衆参両院の議長である。

私が「こんなのが」と引用リツイートすると、いろいろなコメントがついた。

「やっぱ、安倍総理応援してるやつは知的水準低いのかな」

「本気で言ってるのかよ……安倍支持者ってこんなのばっか」

「脳なし相手にするの疲れますよね、わかります」

するとBは「論理的に反論してみては」と言い出し、最後は「司法長官が立法するとでも思っているのかっ？　馬鹿ども!!」と謎の言葉を残し、ブロックして逃げていった。

三島は言う。


………


言論の自由の名のもとに、人々が自分の未熟な、ばからしい言論を大声で主張する世の中は、自分の言論に対するつつしみ深さといふものが忘れられた世の中でもある。人々は、自分の意見——政治的意見ですらも何ら羞恥心を持たずに発言する。

戦後の若い人たちが質問に応じて堂々と自分の意見を吐くのを、大人たちは新しい日本人の姿だと思つて喜んでながめてゐるが、それくらゐの意見は、われわれの若い時代にだつてあつたのである。ただわれわれの若い時代には、言ふにいわれぬ羞恥心があつて、自分の若い未熟な言論を大人の前でさらすことが恥かしく、またためらはれたからであつた。そこには、自己顕揚の感情と、また同時に自己嫌悪の感情とがまざり合ひ、高い誇りと同時に、自分を正確に評価しようとするやみ難い欲求とが戦つてゐた。

いまの若い人たちの意見の発表のしかたを見ると、羞恥心のなさが、反省のなさに通じてゐる。

私のところへ葉書が来て、

「お前は文学者でありながら、一ページの文章の中に二十幾つのかなづかひの間違ひをしてゐるのは、なんといふ無知、無教養であるか。さつそく直しなさい」

といふ葉書をもらつたことがある。この女性は旧かなづかいというものを知らないのみならず、自分の無知を少しも反省してみようとしないのであつた。(「若きサムラヒのための精神講話」)

…………


私はこの手のバカに半年に一回くらいは絡まれる。

基本的にツイッターで何を言われても相手にしないのだが、嘘やデマを書かれると迷惑なので、コメントをするケースもある。そしてやはり、スルーが一番という結論に達する。

バカに何を言っても時間の無駄。

ゲーテは言う。


…………


あらゆる泥棒の中でバカがいちばん悪質だ。彼らは時間と気分の両方を盗む。

（エッカーマン『ゲーテとの対話』）

三島由紀夫vs東大全共闘

二〇二〇年三月、ドキュメンタリー映画『三島由紀夫vs東大全共闘 50年目の真実』が公開された。これは一九六九年五月一三日、三島と東大全共闘の学生が開いた討論会の様子を当時の関係者、現代の文学者、ジャーナリストなどの証言を織り交ぜながら紹介したもの。

映画のトレーラーを見ると、小説家の平野啓一郎は「社会を変えていくのは言葉なんですよね」、評論家の内田樹は「この一〇〇〇人を説得しようと思っているんですよね」と熱く語っている。

東大全共闘の芥正彦は「言葉が力があった時代の最後だとは思っている」、瀬戸内寂聴は「あんな目、見た事ない」と述べていた。

この討論会の内容を前から知っていたこともあるが、正直、見られたものではなかった。

1969年5月13日、三島と東大全共闘の一部が討論した映像が2020年に映画化された。

この映画が宣伝で謳っているような「伝説の大討論」でも「言葉と言葉の殴り合い」でもない。大人と子供が相撲をとっているようなものだ。はっきり言ってくだらない。それと、三島はバカな学生に甘すぎる。無知で無恥な若者は気持ちが悪い。ナルシシズムで表情は歪み、根拠のない自信に満ち溢れている。

映画のトレーラーには三島は「単身乗り込んだ」とあるが、実際には三島はこの討論会の書籍化を新潮社に持ちかけており、録音機を抱えた編集者とカメラマンが同行。翌月、書籍化された。教壇に立つ三島の背後から会場全体を映し出した新潮社のカメラマンによる写真は、この討論会の「ショー」としての本質を見事に表していた。

三島は「東大を動物園にしろ」という文章を書いている。これが『文藝春秋』に掲載されたのは一九六九年の一月号。つまり一九六八年の一二月の発売である。連合赤軍による一連の内ゲバ事件が発生したのが、一九七一年半ばから一九七二年である。それ以上に付け加える言葉はない。

フランス革命をはじめとする過去の革命の例を見てもわかるとおり、左翼は暴走して内ゲバに走る。これは方針が間違ったのではなく、左翼は構造的に内ゲバを起こす。左翼は権力を集中し、「正しい判断」により社会を導くという発想の下にある。一種の理想主義だ。そしてそこからはみ出したものは反革命として粛清する。

三島は言う。


………


青年は人間性の本当の恐しさを知らない。そもそも市民の自覚といふのは、人間性への恐怖から始まるんだ。自分の中の人間性への恐怖、他人の中にもあるだらう人間性への恐怖、それが市民の自覚を形成してゆく。互ひに互ひの人間性の恐しさを悟り、法律やらゴチャゴチャした手続きで互ひの手を縛り合ふんだね。

（中略）

困つたことにはすでに気づいた者の中にも、気づかなかつた青年期へのノスタルジアがあつて、気づかない青年たちの反撥にシンパシイ（同情）を感じ、中にはこれに付和雷同する者のゐることだ。かういふ連中にも、時折あらためて人間性の恐しさを知らせてやる必要がある。

だからこの際、東大を人間性の完全な解放区、つまり動物園にして、気づかない青年たちの〝完全なる自治〟に委《ゆだ》ねる。そのときいかなる事態が生ずるか。身をもつて学生たちに体験させる。イヤでも気づくだらうさ。（「東大を動物園にしろ」）


大事なのは、自治権なるものの幻の実体をこの際、徹底的に世間に知らしめることだ。大学側は、国家権力に対して一方で甘えながら、また一方で自治権を楯《たて》にとつて世間にも学生にも見栄をはつてゐる。学生の方は学生の方で、これまた自治権を楯にとつて、大学を革命の拠点にしようとしてゐる。

さういふ互ひの自治権をめぐる八百長試合を白日のもとに一度さらしてみることだ。いつたい学生たちの要求する〝自治〟とはいかなるものか、与へてみれば自治イコール無法地帯つてことがはつきりするだらう。（同前）

・・・・・・・・・

三島は人間性の無制限な解放は、アナーキズムに行き着くしかないと考えた。これは正しい。制限なき自由は自由の息の根を止める。最後にもうひとつ三島の言葉を引用しておく。

……………

しかしきみ、革命つていふのは〝今日〟よりも、〝明日〟を優先させる考え方だらう。ぼくは未来とか明日とかいふ考へ、みんなきらひなんだ。高見順が一生フラフラしちやつたのはなぜか。未来を信じたからだよ。

彼に「過程的」といふ小説がある。来たるべき未来社会のために自分は捨石になるんだ、自分個人の成熟なんて問題ぢやない、自分の中の集合的無意識に積み重ねられてきた〝文化〟の集積自体にも意味はない、それを革命の〝道具〟として使つてこそ意味がある、要するに自分も、自分の中の〝文化〟も革命の〝道具〟であり、未来へのプロセスとして存在するんだ……といふんだね。

未来社会を信ずる奴は、みんな一つの考へに陥る。未来のためなら現在の成熟は犠牲にしたつていい、いや、むしろそれが正義だ、といふ考へだ。高見順はそこで一生

高見順（1907-1965）／小説家。出生に関わる暗い過去や、左翼からの転向体験を記した。

フラフラしちやつた。
　未来社会を信じない奴こそが今日の仕事をするんだよ。現在ただいましかないといふ生活をしてゐる奴が何人ゐるか。現在ただいましかないといふのが〝文化〟の本当の形で、そこにしか〝文化〟の最終的な形はないと思ふ。（同前）

…………

「現在ただいましかない」というのは、目的を捨てることでも、刹那主義的に生きることでもない。自分の背後に、過去の無限の蓄積を見いだすということだ。伝統は自分の中で生きているものであり、そこから切断できるものではない。

三島はこう説明する。

………

今、私が四十歳であつても、二十歳の人間も同じ様に考へてくれば、その人間が生きてゐる限り、その人間のところで文化は完結してゐる。その様にして終りと終りを繋《つな》げれば、そこに初めて未来は始まるのであります。

われわれは自分が遠い遠い祖先から受継いできた文化の集積の最後の結果であり、これこそ自分であるといふ気持で以つて、全身に自分の歴史と伝統が籠つてゐるといふ気持を持たなければ、今日の仕事に完全な成熟といふものを信じられないのではなからうか。或るひは自分一個の現実性も信じられないのではないか。自分は過程ではないのだ。道具ではないのだ。自分の背中に日本を背負ひ、日本の歴史と伝統と文化の全てを背負つてゐるのだといふ気持に一人一人がなることが、それが即ち今日の行動の本《もと》になる。（「日本の歴史と文化と伝統に立つて」）

・・・・・・・・・

三島が言うように、「未来に夢を賭ける」のは弱者の思想である。

人間は未来に向かって成熟していくものではない。

《人間というものは〝日々に生き、日々に死ぬ〟以外に成熟の方法を知らない》のである。

三島が否定したのは、「歴史の進歩」という妄想に支えられた近代的で薄っぺらな人間観だった。

今は東大どころか日本が動物園になっている。

国家の中枢でサルが革命を起こし、社会を破壊した。

肉屋を支持する精神の豚がそれに声援を送っているのである。

民主主義と議会主義

三島は東大だけではなく、一橋大学や早稲田大学でも討論会をやっている。このとき、三島に説教された若者たちは、その後、立派な大人になったのだろうか。まあ、なっていないから、今の時代の惨状があるわけだけど。

三島は一橋大学の「完全な民主主義の実現が必要だ」と主張する学生に言う。

……………

民主主義というのは非常にペシミスティックな政治思想です。そして人間は相許さないものだ、意見は違うものだ、ほっとけば殺し合うものだ、なんとかこれを殺し合せないで、国会議事堂というところに連れてきて、つかみ合いぐらいならさせておけばいいのだ。そしてお互いに議論をし、この中からまあまあましというものをとればいいのだ。（「国家革新の原理──学生とのティーチ・イン」）

…………

ここで三島が「民主主義」と述べているのは正確には議会制（間接民主主義）のことである。

三島は続ける。

…………

純粋民主主義なんてあなたの考えるのは、地上にかつて存在したことがない。そして、それに向っていくら努力したって、あなたの一生は無駄だ。我々はペシミズム──人間がどうしてこんなにむずかしい存在なのか、どうしてこんなに扱いにくいものであるかという地点から出発し、そんな人間の集まりの中で少しでもよい政治思想というものを考えて、民主主義を発明した。私がいうのは、その民主主義が最高の、あるいは最終的な政治思想ではないということ。民主主義にいいところがあれば、専制主義にもいいところがある。政治思想にはどれもこれもみな良し悪しがある。欠点もあれば、長所もある。

じゃ、共産主義がいいのか、全体主義がいいのか。さっきあなたのいわれたように、一億人の人間が全部一億人同じ考えであればいいのか。そうなるためには人間の本性からいって、絶対に相互監視と弾圧が必要です。厳しい相互監視、プライバシーの抹殺、言論統制、強制収容所、こういうものがなければ、一億の人間が全部同じ考えだということは人間としてあり得ない。それをしようとすれば、強制収容所の思想が必要になってくるのです。（同前）

……………

民主主義は全体主義につながるイデオロギーである。

三島は無恥で幼稚でナイーブな学生に少し気持ち悪いくらい、やさしくていねいに語り掛ける。

一方、早稲田大学では、三島は民主主義と議会主義をきちんと使い分けている。

……………

問題提起がちょっと長くなりましたが、この問題をちょっと突っ込んでみますと、いわゆる議会制の、普通選挙制の政治形態というのは、政治というものが必要悪、妥協の産物であって、相対的な技術であって、政治に何ら理想はないのだというところから出発しているのだと私は解釈しております。つまり民主主義に理想を求める、民主主義の行く手に、人民民主主義の理想を追究して現在の民主主義を改良できるという革新の方法は、私には論理的でないと思われる。（同前）

……………

三島の政治理解も保守主義者の典型的なそれであった。

政治は統治者の理想を社会に押し付ける手段ではない。

小林秀雄は《政治家は、文化の管理人乃至は整理家であって、決して文化の生産者ではない。（中略）天下を整理する技術が、大根を作る技術より高級であるなどという道理はない》（「私の人生観」）と言った。

三島は言う。

………

胃痛のときにはじめて胃の存在が意識されると同様に、政治なんてものは、立派に動いてゐれば、存在を意識されるはずのものではなく、まして食卓の話題なんかになるべきものではない。政治家がちやんと政治をしてゐれば、カギ屋はちやんとカギ屋の仕事に専念してゐられるのである。（「一つの政治的意見」）

………

最後に現代保守主義の代表的な理論家であるマイケル・オークショットの言葉を引いておく。

マイケル・オークショット（1901-1990）／政治哲学者。現代保守主義の代表的な理論家。

……この性向の人（保守）の理解によれば、統治者の仕事とは、情念に火をつけ、そしてそれが糧とすべき物を新たに与えてやるということではなく、既にあまりにも情熱的になっている人々が行う諸活動の中に、節度を保つという要素を投入することなのであり、抑制し、収縮させ、静めること、そして折り合わせることである。それは、欲求の火を焚くことではなく、その火を消すことである。（『政治における合理主義』）……

オークショットが言うように、もっとも為政者に向いていないのは、政治を《己の夢をかなえる》手段にする人間である。

安倍晋三は著書『新しい国へ』で、「わたしが政治家を志したのは、ほかでもない、わたしがこうありたいと願う国をつくるためにこの道を選んだのだ」と述べている。革命家の吉田松陰が引用した『孟子』の「自らかえりみてなおくんば、千万人といえどもわれゆかん」がお気に入りのフレーズのようで、自分が信じた道が間違っていないという確信を得たら断固として突き進むのだと繰り返している。「この道しかない」といった安倍政権のスローガンも含めて、これは保守思想の対極にある発想だ。

保守とは「確信」、イデオロギーを警戒する態度のことである。

「不道徳教育講座」

記憶がはっきりしないが、私が三島の「不道徳教育講座」を読んだのは高校生の頃だったと思う。ここで三島はバカの分類をしている。

・・・・・・・・・

馬鹿は死ななきや治らない、とよく言われます。馬鹿にも重症から軽症まであり、「大賢は大愚に似たり」といふごとく、賢愚の相通ずるところに座を占めてゐる立派なバカもあり、ドストエフスキーの小説ぢやないが、神の如き白痴さへある。

しかしここで私のいふのは、そんな天才的なバカのことではない。

バカといふ言葉の厄介なところは、人間の知能と関係があるやうでありながら、一概にさうとはいひきれぬ点であります。いくら大学の銀時計組でも、生れついたバカはバカであつて、これも死なななきや治らない。秀才バカといふやつは、バカ病の中でも最も難症で、しかも世間にめづらしくありません。バカの一徳は可愛らしさにあるのに、秀才バカには可愛らしさといふものがありません。(「不道徳教育講座」)

・・・・・・・・・

無知＝バカではない。

子供は無知だが、それをバカとは呼ばない。

無知なら無知なりに黙っていれば利巧だが、バカに限って声が大きい。

安倍晋三が在学中、成蹊大学で政治思想史を教えていた加藤節教授は、安倍は二つの「ムチ」に集約できると言う。ひとつは ignorant の無知、もうひとつは shameless の無恥であると。

たしかに、安倍は歴史も知らないし、憲法も知らないし、政治も知らない。

加藤は「彼はまず歴史を知らない。戦後の日本が築いてきた歴史を踏まえていないんです。歴史はよく知らないから、そんなものは無視しても良いと考えているのではないでしょうか?」と発言。

総理辞任後には、「安倍さんにはもう少し謙虚に勉強してほしかった。僕が彼を指導したという自覚はまったくありませんが、僕の授業を聞いていたはずなのだから、もうちょっと知的に自分を鍛えてほしかったと思います。いまさら言っても、もう遅いですが(笑)」とインタビューに答えていた。

たしかに、もう遅い。

無恥はさらにタチが悪い。

バカとは価値判断ができないことである。

人間に害があるものを評価してしまう。

政治家、大学教授、弁護士……。膨大な知識を持ったバカは山ほどいる。

・・・・・・・・・

概して進歩的言辞を弄《ろう》し、自分の出た大学をセンチメンタルに愛してをり、語学が達者で、使わないでもいいところに横文字を使ひ、大ていメガネをかけてをり、暴力恐怖症を併発し、ときどきヒステリックに高飛車なことを言つたりする一方、運動神経がゼロで、紅茶のスプーンを何度も落つことし、長上にへつらひ、同僚に嫉妬し、ユーモア・センスがなく、人の冗談を本気にとつて怒るかと思へば、冗談のつもりで失礼なことを平気で言ひ、歯をよく磨かず、爪をよく切らず、何故人にきらはれるのかどうしてもわからない。（同前）

・・・・・・・・・

バカは自分を客観視できない。だから他人との距離感覚がわからない。思い上がったかと思えば、へりくだったりする。

謙遜バカもいる。

・・・・・・・・・

何でも謙遜さへしてゐれば最後の勝利を得られるといふ風に世間を甘く見て、ことごとに、「私のやうなものが」とか「不肖私が」とか言ひ、謙遜の裏に鼻持ちならない己惚れをチラチラ見せ、それでゐて嫉妬心が強く、怨《うら》みつらみをみんな内攻させ、

中川淳一郎（1973-）／ネットニュース編集者、PRプランナー、フリーライター。著書に『ウェブはバカと暇人のもの』など。

嫉妬深いから人の長所がよく目につき、被害妄想からそれをみんな褒めてしまひ、あとで後悔して自分を責め、ますます謙遜して復讐の刃をとぎ、道路は必ず端のほうを通り、可笑《をか》しくもないのにニコニコ微笑をたたえ、自分の細君にはひどく威張る。

（同前）

…………

ヒューマニズムバカもいる。

…………

自分を善意の撒水車のやうに考へ、雨のあとでも道ぢゆうに撒《ま》いて歩き、人に非難されても決して反省せず、ヒューマニズムのために嘆いて泣き、死刑が怖くてたまらないので死刑に反対し、夜中に一人で便所へも行けず、「人間、人間」と念仏のやうにとなへるが、いつも人非人の幻影におびえ、無類の強がりで無類の臆病者、いつでも十字架に昇る覚悟がある筈なのに、自分の指先のかすり傷の血を見て卒倒する。
（同前）

………

以前、ネットニュース編集者の中川淳一郎さんと対談したことがある（『博愛のすすめ』）。彼はよく人の悪口を書いているが、その中川さんに「適菜さんは今一番人の悪口を書くのがうまい人でしょう」と言われた。でも、三島には負ける。「善意の撒水車」って、面白すぎる。

バカについて

一口にバカといっても多種多様です。
「自慢バカ」もいます。

…………

人間誰しも己惚れがあるが、これは己惚れを発表せずにはゐられぬバカで、「乃公《だいこう》出でずんば」などと広言したり、自分の立志伝を三時間も喋つたり、（中略）五十になつても出身校の自慢を忘れなかつたり、本職の自慢より無邪気だらうと勝手に考へて、朝から晩まで余技の自慢ばかりしてゐたり、……これにはいろんな種類がある。（「不道徳教育講座」）

・・・・・・・・・

出身大学は一七歳のときの暗記力にすぎない。

いい歳になっても、学歴を持ち出すやつはきつい。

学歴を自慢するやつは今の自分に自信がないのだと思う。会社自慢もそう。退社して「部長」とか「専務」といった肩書を失ったときに、自分が何でもない存在だったことに気づく。その時はすでに手遅れである。

次に「三枚目バカ」。

・・・・・・・・・

大して可笑しな顔つきでもないのに、むやみに自分を三枚目にしたがり、女を口説く勇気がないので、わざわざ女の前でピエロを演じ、一種の媚態《びたい》から、絶えず自分を人の笑ひ物にしてゐなければ気がすまず、親からもらつた自分の顔の悪口を自分で言ひつづけ、しないでもよいヘマをやり、自転車からわざわざ落つこちて見せ、要らざ

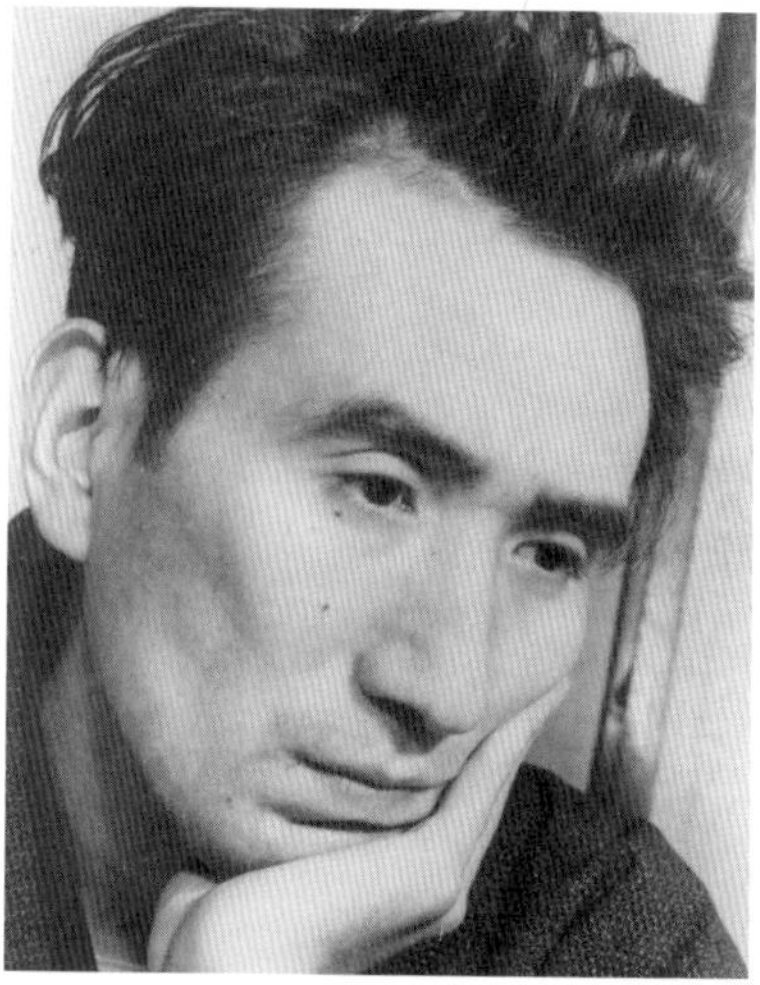

太宰治（1909-1948）／小説家。薬物中毒や自殺未遂を繰り返した自己破滅型の私小説作家。

る失敗の告白ばかりやり、しかも自分以外の人間をみんな大バカだと心底深く信じて疑はない。（同前）

……

太宰治のことですかね？

たしか、『人間失格』はそういう小説だった。

それとも三島の自画像か。これも近親憎悪か。

最後は「薬バカ」について。

……

毎朝ヴィタミン剤と肝臓保護剤とホルモン剤を呑みながら、朝刊の薬の広告をすみからすみまで読み、通勤の電車の中でも、新薬の広告に気をとられ、薬屋の前を通れば、腹の減つた浮浪児が鰻屋の前を素通りしかねるやうに、ショウウィンドウに鼻をくつつけずにはゐられず、昼食《ちゆうじき》のあとで胃腸薬を嚥《の》み、午後三時には頭痛薬を嚥み、晩飯のあとではカルシウムを嚥み、そのうちに、腎臓も悪くないのに腎臓の薬を試飲し、心臓薬やら、高血圧の薬までためし、頭にも胸にも腹にも手首にも流行の何とか帯の数々をロッカビリー娘のようにぶらさげ、……つひには「薬石効なく」お陀仏する。（同前）

・・・・・・・・・

新型コロナウイルス騒動で、マスクを買うために老人が大挙してドラッグストアに押しかけたという話があった。行列をつくっている間に感染するだろう。

「薬」を「情報」に置き換えてもいい。

新聞をすみからすみまで読み、情報に溺れ、お陀仏する。

もっとも三島はバカをなくすのは不可能だと言っている。

・・・・・・・・・

人間とバカとは、そもそも切つても切れぬ関係のあるもので、この病気は人間の歴史と共に古く、どんな賢者といへども、バカの病菌を体内に持つてゐない人はありません。だから人間みんなバカだと言つてしまへば、それつきりで、それはそれなりに正しいが、賢者とバカのわかれ目は、病気上手と病気下手とにあるやうで、ほんの微妙な抑制の神経を持つか持たないかで、バカ病は、うんと好転もするし、うんと悪化もする。

（中略）

利口であらうとすることも人生のワナなら、バカであらうとすることも人生のワナであります。そんな風に人間は「何かであらう」とすることなど、本当は出来るものではないらしい。利口であらうとすればバカのワナに落ち込み、バカであらうとすれば利口のワナに落ち込み、果てしもない堂々めぐりをこうしてくりかへすのが、多分人生なのでありませう。（同前）

……………

人間は「何かであろう」とすることなど、本当はできるものではない。

最後にニーチェの言葉を引いておく。

……………

病気は、健康になるための一つの不器用な試みである。私たちは精神をともなって自然を助けに行かなければならないのだ。（『生成の無垢』）

第三章

死に方と生き方

1964年05月14日。毎週土曜日には東京・東調布警察署の道場で剣道で汗を流した。

自殺について

三島は言う。

…………

あらゆる形の自殺に、演技の意識が伴ふことを、心理学者はよく知つているが、私には自殺という行為は、他のあらゆる人間行為と同様、あらはな、あるひは秘められた不純な動機を手がかりにして、はじめて可能になるものだと思はれる。（「心中論」）

…………

三島は自殺を否定していた。

文学者の死、保守主義者の死を認めなかった。しかし、晩年の数年間は右翼＝理想主義者に転向して（それが偽装であるかどうかは別として）武士として死んだのである。

三島は太宰治を嫌った。

………

どんな強者と見える人にも、人間である以上弱点があつて、そこをつつけば、もろくぶつ倒れるものですが、私がここで「弱い者」といふのは、むしろ弱さをすつかり表に出して、弱さを売り物にしてゐる人間のことです。この代表的なのが太宰治といふ小説家でありまして、彼は弱さを最大の財産にして、弱い青年子女の同情共感を惹《ひ》き、はてはその悪影響で、「強いはうがわるい」といふやうなまちがつた劣等感まで人に与へて、そのために太宰の弟子の田中英光などといふ、お人好しの元オリンピック選手の巨漢は、自分が肉体的に強いのは文学的才能のないことだとカンチガヒして、太宰のあとを追つて自殺してしまひました。これは弱者が強者をいぢめ、つひに殺してしまつた怖るべき実例です。

ところで私は、かういふ実例を、生物界の法則に反したデカダンな例とみとめます。

（「不道徳教育講座」）

・・・・・・・・・・

私は『日本を救うC層の研究』という本に、三島が若い頃に太宰に会いに行ったときのエピソードについて書いた。

大ざっぱに説明するとこういう話である。

太宰が『斜陽』の連載を終えた頃に、三島は劇作家の矢代静一らと一緒に会いに行った。三島は普段着ない和服姿だった。それは《十分太宰氏を意識してのことであり、大袈裟に云えば、懐に匕首を呑んで出かけるテロリスト的心境であつた》（「私の遍歴時代」）。

料理屋の暗い階段を上って二階に行くと、二畳ほどの座敷に大勢の人がいた。

上座には太宰と文芸評論家の亀井勝一郎が並んで座り、青年たちがそのまわりを取り囲んでいる。

三島は友人の紹介で挨拶をし、太宰から盃をもらった。

そのときのことを三島はこう述べている。

・・・・・・・・・

場内の空気は、私には、何かきはめて甘い雰囲気、信じあつた司祭と信徒のやうな、氏の一言一言にみんなが感動し、ひそひそとその感動をわかち合い、又すぐ次の啓示を待つ、といふ雰囲気のやうに感じられた。これには私の悪い先入主もあつたらうけれど、ひどく甘つたれた空気が漂つてゐたことも確かだと思ふ。一口に「甘つたれた」と云つても、現在の若い者の甘つたれ方とはまたちがひ、あの時代特有の、いかにもパセティックな、一方、自分たちが時代病を代表してゐるといふ自負に充ちた、ほの暗く、抒情的な、……つまり、あまりにも「太宰的な」それであつた。(「同前」)

・・・・・・・・・

『C層の研究』を読んだ私の友人が言った。「これはまさに西部塾の空気そのものじゃないか!」と。

最初に断っておくが、私は西部塾とは関係ないし、西部邁との深い付き合いもなかった。

晩年の三年間くらいは番組や酒の席に呼ばれたが、彼の本は何冊か読んではいるものの、人間性までは知らない。「西部邁ゼミナール」という番組の出演も断ってしまった。だから、西部を固く支持する人に対しても、批判的な人に対しても、どうこう言うつもりはない。

ただ、物書きの自殺について考えるときに、太宰、三島、西部を比較することにより見えてくるものはあると思う。

西部邁（1939-2018）／評論家。学生時代は左翼過激派。その後保守論壇の重鎮となる。

三島は太宰の自殺を「不純な動機」による演技の意識を伴ったものだと言いたいのだろうが、三島の自殺も演技の意識を伴ったものではないか。

当然、本人もそれを自覚していた。

三島は単純右翼のアホではない。自衛隊が決起に応じるとは考えてもいなかっただろう。仮に自衛隊が応じたとしても、その後のプランがあったわけではない。

要するに、三島は世の中が嫌になってブ

チ切れたのだと思う。戦後社会の欺瞞に対する、一種の諫死《かんし》・憤死である。

一方、こういう言い方をすると失礼かもしれないが、西部の自殺は世の中に何の影響も及ぼさなかった。いろいろ嫌になったのは同じだろうが、最初から絶望している人間は絶望することはない。単に入院して病院で死ぬのが嫌だから、自殺したのだろう。

死の数年前に、西部が某雑誌に自殺について書いていた。

その後、偶然新宿のバーで西部の隣に座ったので、「西部さん、いつ死ぬんですか？」と聞くと、ニコニコ笑っていた。

この文章を書いていて思い出したのだが、たしか三島も見知らぬ高校生から「先生はいつ死ぬんですか」と聞かれて、動揺したらしい。

死のクオリティー

三島の時代にはまだ絶望してみせることが何かにつながるような空気、余裕、ナイーブさがあった。しかし今の時代においては、正常な人間だったら、最初から絶望しているのであり、その中において、絶望していないフリをして、社会で振る舞わなければならない状況でもある。

三島は言う。

・・・・・・・・・

死が戦術行動のなかで目的のための小さな手段として行使されるのは、革命の過程としては当然なことである。最高の瞬間に、最高度に劇的に、効果的に死が行使されることが保証されてゐれば、匹夫といへどもその死を容認するにやぶさかではない。しかし、その死が目前死ななくてもよいやうな小さな意味のために、犬死にするのであれば、勇者といへどもその死を避けたいと願ふであらう。ところが一個人のある時点における判断には、死のそのやうなクオリティーを見分ける能力がないといふことは、「葉隠」の著者もすでに洞察してゐたところであつた。（「同志の心情と非情」）

……………

保守主義者としての三島は、目的のために死を手段とすることを否定していた。自分の死は管理できない。三島が自覚していたように《一個人のある時点における判断には、死のそのやうなクオリティーを見分ける能力がない》のである。

三好行雄に楯の会の現実への働きかけについて聞かれた三島はこう答えている。

……………

ぼくはけっして、全共闘みたいに、十一月に死ぬぞとか、九月に死ぬなんて、そんなばかなことといいませんよ。でも、ひょっとすると、それが原因で死ぬかもしれないという可能性は、中にあると思います。世間の非難も承知のうえですし、それから、政治的にも非常に色がついてしまうし、何かのシチュエーションの中では……そんな、全然、冗談でぼくはああいうことをやっているのではないのです。ですから、それはちょっと違う。それは、何年かたってみれば、三島はあのとき、あんなことをやっていたけれども、けっきょくあれも、お遊びだったではないか、というかもしれない。

（中略）

ぼくは、死ぬということ、言うのはきらいなんです。人間が、死ぬなんていうこと、かるがるしく言うべきではないと思います。ただ、文学で死ぬというのは、ぼくはいやなのですよ、とっても。たとえば、文学的に行き詰まって自殺するなんていやですけれども、そうでない死に方ならば、してもいいと思う。でも、

三好行雄（1926-1990）／国文学者。専門は近代文学。「作品論」という領域を提唱。

そうでない死に方というのは、文学ではできませんから、「楯の会」はなんかそういう、あるシチュエーションでは、そういう動機になるかもしれない。そんなことは、まったく偶然ですから、わからないですね。今の状況みると、あまりそんなこともなさそうですけれども、わからない。（「三島文学の背景」）

………

三島の武士としての自殺は時代錯誤だった。
しかし「シチュエーション」は用意された。
三島は自決の直前に「こうするより仕方なかったんだ」とつぶやいた。

生き方について

フランスの小説家アルベール・カミュは『シーシュポスの神話』でこう述べている。

……………

あるひとりの人間の自殺には多くの原因があるが、一般的にいって、これが原因だといちばんはっきり目につくものが、じつは、いちばん強力に作用した原因であったというためしがない。熟考のすえ自殺をするということは（そういう仮説をたてることができないわけではないが）まずほとんどない。なにが発作的行為の引き金を引いたか、それを立証することはほとんどつねにできない。新聞はしばしば「ひと知れず煩悶《はんもん》していた」とか「不治の病があった」とか書きたてる。一応もっともに思える説明であ

アルベール・カミュ（1913-1960）／小説家、哲学者。「不条理」の哲学を打ち出す。

る。だがじつは自殺の当日、絶望したこの男の友人が、よそよそしい口調でかれに話しかけたのではなかったか。その友人にこそ罪がある。そんな口調で話しかけられただけで、それまではまだ宙に浮いていた怨恨《えんこん》や疲労のすべてが、一時にどっと落ちかかることがありうるのだから。

・・・・・・・・・

人は自殺の背後に物語を組み立てたがる。しかし、それほど大きな意味がなかったりもする。私は大学時代に「なんかまずいものでも食いに行こうぜ」と先輩に誘われて、高田馬場の栄通りにあった洋食屋で回鍋肉定食を食べたとき、キャベツが生焼けでクソまずくて、死にたい気分になった。映画のワンシーンで長年の恋がかなうと「今すぐ死んでもいい」というパターンもある。

自殺の理由はあるといへばあるし、ないといへばない。

三島は自由意志についてこう考えた。

・・・・・・・・・

キェルケゴールの提示した「悔い」の性質は、人生が一人宛たつた一つしかないといふ事実に対する、自由意志の側からの永遠の不満であつた。「結婚」といふ言葉は、ただこの事実の一象徴たるにすぎないから、キェルケゴールはこれを敷衍《ふえん》して、さらにかう言つてゐる。

「……結婚しても、しないでも、孰《いづ》れにしても君は悔いるだらう。……一人の娘を信じてみたまへ、君は悔いるだらう。信じないでみたまへ、やつぱり君は悔いるだらう。首を縊《くく》つてみたまへ、君は悔いるだらう。縊らないでみたまへ、やつぱり君は悔いるだらう」

(中略)

私がもし悔いないでゐられるなら、それは宿命を是認することになるだらうか。さうではない。私が悔いないといふことは、自由意志に対する嘲笑ではない。どんな選択も、どんな決断も、どんな行為も自殺でさへも、最終的に人間の状況を決定することはできない、と私は考へるから、決断に従つたことを悔いもしないし、おそらく決断に従はなかつたときも悔いはしまい。人間は選ぶことができないのではないが、最終的に選択の不可能なことを知つてゐるのは自由意志であつて、さればこそ、人生がたつた一つであることをどうしても肯《うべな》はない自由意志は、宿命に対抗することができるのである。

（中略）

そして行為とは、宿命と自由意志との間に生れる鬼子であつて、人は本当のところ、自分の行為が、宿命のそそのかしによるものか、自由意志のあやまちによるものか、知ることなど決してできない。結局、海水の上に浮身をするやうな身の処し方が、自分の生に対する最大の敬意のしるしのやうに思はれる。……こんなことを考へたのち、私は結婚することに決めたのである。（「裸体と衣装」）

・・・・・・・・

三島らしい、言葉を尽くした説明だが、結婚することを自分に納得させるための口実のようでもありほほえましい。ほほえましいと言っては怒られるか。

コインには表と裏がある。同じものでも視点によって意味は変わる。

ゲーテは言う。

…………

たしかに世界は、平地にいるときと、前山の頂きにいるときと、また原始山脈の氷河の上にいるときでは、ちがって見えるだろう。ある立場にたてば、世界の一角はほかの立場におけるよりもよく見えるだろうが、しかし、それだけのことで、ある立場におけるほうが別の立場よりも正しいなどと言うことはできない。（エッカーマン『ゲーテとの対話』）

猫のような生き方

三島は猫が好きだった。

………

私は書斎の一隅の椅子に眠つてゐる猫を眺める。私はいつも猫のやうでありたい。その運動の巧緻、機敏、無類の柔軟性、絶対の非妥協性と絶妙の媚態《びたい》、絶対の休息と目的にむかつて駈け出すときのおそるべき精力、卑しさを物ともせぬ優雅と、優雅を物ともせぬ卑しさ、いつも卑怯であることを怖れない勇気、高貴であつて野蛮、野性に対する絶対の誠実、完全な無関心、残忍で冷酷、……これらさまざまの猫の特性は、芸術家がそれをそのまま座右銘にして少しもをかしくない。（「裸体と衣装」）

……………

一方、三島が嫌ったのは犬のような人間である。

……………

何かにつけて私がきらひなのは、節度を知らぬ人間である。一寸《ちよつと》気をゆるすと、膝にのぼつてくる、顔に手をかける、頰つぺたを舐めてくる、そして愛されてゐると信じきつてゐる犬のやうな人間である。女にはよくこんなのがゐるが、男でもめづらしくはない。荷風がこんな人間をいかに嫌つたかは、日記の中に歴然と出てゐる。

（中略）

私の好きなのは、私の尻尾を握つたとたんに、より以上の節度と礼譲を保ちうるやうな人である。さういふ人は、人生のいかなることにかけても聡明な人だと思ふ。親しくなればなるほど、遠慮と思ひやりは濃くなつてゆく、さういふ附合を私はしたいと思ふ。親しくなつたとたんに、垣根を破つて飛び込んでくる人間はきらひである。（「私のきらひな人」）

…………

『週刊プレイボーイ』元編集長の島地勝彦をよく知る人と酒を飲んだことがある。私は直接島地氏に会ったことはないが、柴田錬三郎や今東光、開高健といった作家による人生相談コーナーを担当していたのは有名だ。

島地は開高にいきなりディープキスして連載を依頼したらしいが、三島だったら嫌われるどころの騒ぎではなかっただろう。日本刀で斬られていたかもしれない。

ちなみに、三島は同誌で鶴田浩二と対談をやったり、『命売ります』という小説を連載していた。もちろん、担当は別の編集者だろう。

三島は言う。

…………

僕は波瀾とかトラブルとかが世の中でいちばん嫌ひなたちだ。仕事にさはるやうな波瀾やトラブルを避けるためには、すべてレセ・フェール（放任主義）にする以外、生きられない。昔《むかし》気質《かたぎ》の文士、それから最近では太宰治とか坂口安吾とかいふ破滅型の文士の生き方と、僕の生き方の違ふところだ。

彼等はすべて観念で動いてゐる。家出するべし——家出する。離婚せざるべからず——離婚する、すべて観念だ。生活といふものはみんな観念だと思つている。ところが僕は生活に観念を持ち込まないといふ主義だから、すべてレセ・フェールである。

坂口安吾（1906-1955）／小説家、評論家、随筆家。代表作に『堕落論』など。

僕が太宰ぎらひなのは生活に観念を持ち込んだことだ。さういふことが文学的なことだと思つてゐる風潮が嫌ひなのだ。（「作家と結婚」）

・・・・・・・・・

私の場合は、酒飲もうかな——飲む。

酒飲むのやめとこうかな——飲む。

ちなみに私は猫が苦手。猫アレルギー

なので、触ると鼻水とくしゃみが止まらなくなる。

犬は好き。特に豆柴が好き。

ユーチューブの豆柴のチャンネルは三〇以上登録している。この前、道を歩いていて周辺に誰もいないことを確認してから「豆柴」と叫んだら、細い路地からオバサンが出てきて気まずい思いをした。

豆柴飼いたいけど、今の住宅事情だと無理。万が一、生まれ変わることができたら、来世では豆柴を飼いたい。

アメリカの犬は嫌い。

思想が形成されるとき

保守主義者から右翼に転じる際の非論理的な「跳躍」についてはすでに述べた。

三島は《一つの外国語を学ぶようにして、肉体の言葉を学んだ》と言った。

第一章に書いた神輿の話である。

幼い頃の三島は恍惚の表情を浮かべる神輿の担ぎ手たちの目に何が映っているのか謎だった。そして、実際に神輿を担ぐことで、それを理解した。

彼らはただ空を見ていたのだったと。

・・・・・・・・・・

私は早速この体験を小さなエッセイに書いたが、それが私にとつて、いかにも重要な体験だと思はれたからである。

なぜならそのとき、私は自分の詩的直観によつて眺めた青空と、平凡な巷の若者の目に映つた青空との、同一性を疑ふ余地のない地点に立つてゐたからである。

（中略）

私の悲劇の定義においては、その悲劇的パトスは、もつとも平均的な感受性が或る瞬間に人を寄せつけぬ特権的な崇高さを身につけるところに生れるものであり、決して特異な感受性がその特権を誇示するところには生れない。したがつて言葉に携はる者は、悲劇を制作することはできるが、参加することはできない。しかもその特権的な崇高さは、厳密に一種の肉体的勇気に基づいてゐる必要があつた。悲劇的なものの、悲壮、陶酔、明晰などの諸要素は、一定の肉体的な力を具《そな》えた平均的感性が、正に自分のために用意されたそのやうな特権的な瞬間に際会することから生れてくる。

（中略）

そしてそのやうな人間だけが見ることのできるあの異様な神聖な青空を、私も亦《また》見ることができたときに、私ははじめて自分の感受性の普遍性を信じることができ、私の飢渇は癒《い》やされ、言葉の機能に関する私の病的な盲信は取り除かれた。私はそのとき、悲劇に参加し、全的な存在に参加してゐたのである。（「太陽と鉄」）

…………

まさに「跳躍」である。右翼的な文章である。
しかし三島は、わざわざ次のように続ける。

…………

しかし今私がこんな風に、二つの思考の推移を物語ると、人は必ずや、私がむしろ常識から出発して、非論理的な混迷へ向つて進んで行つた、と感じるにちがひない。近代社会における肉体と精神の乖離は、むしろ普遍的な現象であつて、それについて不平をこぼすことは、誰にも納得のゆく主題であるのに、「肉体の思考」だの「肉体の饒舌」だのといふ感覚的なたは言には誰もついては行けず、私がそのやうな言葉で自分の混迷をごまかしてゐると感じるかもしれない。

（中略）

太陽を敵視することが唯一の反時代的精神であつた私の少年時代に、私はノヴァー

ノヴァーリス（1772-1801）／ドイツ・ロマン主義の詩人、小説家、思想家、鉱山技師。

リス風の夜と、イエーツ風のアイリッシュ・トゥワイライトとを偏愛し、中世の夜についての作品を書いたが、終戦を堺として、徐々に私は、太陽を敵に廻すことが、時代におもねる時期が来つつあるのを感じた。

（中略）

書物によつても、知的分析によつても、決してつかまへやうのないこの力の純粋感覚に、私が言葉の真の反対物を見出したのは当然であらう。

すなわちそれは、徐々に私の思考の核になつたのである。

……思想の形成は、一つのはつきりしない主題のさまざまな言ひ換への試みによつてはじまる。釣師がさまざまな釣竿を試し、剣道家がさまざまな竹刀を振つてみて、自分に適した寸法と重みを発見するやうに、思想が形成されようとするときには、或るまだ定かでない観念をいろいろな形に言ひ換へてみて、つひに自分に適した寸法と重みを発見したときに、思想は身につき、彼の所有物になるであらう。（同前）

・・・・・・・・・

この説明はまさに保守主義的である。
右翼とは違う。
それほど三島には保守主義的傾向が根付いていた。
保守主義者でありつつ、右翼のように振る舞おうとする。
その内面の矛盾が彼を苦しめた。

キリスト教のカラクリ

イエス・キリスト（紀元前6～4頃-紀元後30頃）／預言者。キリスト教の創始者とされた。

未来に理想を託す。

そして未来の理想郷を約束することにより、現世を支配する。

これがキリスト教のカラクリである。

ニーチェによれば、これはイエスの教えとはなんの関係もない。

イエスの教えでは、平和と歓喜に満ちた「神の国」は現実世界で実現されるものだったが、弟子たちのしわざで、「約束されるもの」や「終末にやってくるもの」にされてしまった。
こうしたメシア思想は、イエスが否定したパリサイ派のものである。
イエスにとって「天国」とは心の状態のことだったとニーチェは言う。

………

人類が、福音の根源、意味、権利であったものの反対物のまえにひざまずくということ、人類が、「教会」という概念のうちで、「悦ばしき音信の報知者」がおのれの足下に、おのれの背後にしたと感じたもの、まさしくそのものを神聖なりと語ってきたということ——世界史的皮肉のこれにまさる大がかりの形式を探しもとめても無益である——（『反キリスト者』）

………

究極的な理想や目的を設定すれば人間は究極的に不幸になる。
それは永遠に達成されないのだから。

三島は言う。

　　　　………

　ですから私の考へでは、もし未来といふものを語らうとするならば、相対的な、手段的な、或ひは漸進的な未来といふことを語つてゐる人間は、必ず、急進的な、非現実的な、観念的な未来を語るものに負ける。何故ならば、人間がさういふ生き物だからです。そこで私はこれに対抗するにはどうしたら良いかといふことを長年考へて参りました。何も私は共産主義に対抗して生きてゐるわけではありません。別にそれを職業としてゐる人間でもありません。ですけれども彼らの考へにうつかり動かされ、蝕《むしば》まれていつたならば、どういふ結果になるか目に見えてゐる。（「日本の歴史と文化と伝統に立つて」）

　　　　………

未来を信じない人間の行動の根拠について三島は次のように述べる。

未来を信じないといふことは今日に生きることだが、それは刹那主義ではない。現在の背後に過去の無限の蓄積を感じることであると。

・・・・・・・・・

自分の中にすべての集積があり、それを大切にし、その魂の成熟を自分の大事な仕事にしてゆく。しかし、そのかはり何時《いつ》でも身を投げ出す覚悟で、それを毀《こは》さうとするものに対して戦ふ。未来を信ずる浅はかな人間がやつて来た時に、そして、その人間が暴力を振るつて向かつて来た時に、日本の歴史と文化と伝統をお前は破壊するつもりか、これを毀すとはどういふことかといふ気持で、のしかかつてゆく。その闘志といふものは、私は、彼らと逆な思想を打込んでゆくことによつてしか生まれないと思ふ。彼らの真似をして未来を信じれば、彼らに足下を掬《すく》はれるだけである。（同前）

・・・・・・・・・

特に平成になってからの三〇年、国を破壊する勢力が国の中枢にもぐり込んだ。安倍政権のような新自由主義と政商とカルトの複合体が国を破壊し、大阪では「能や狂言が好きな人は変質者」「自称インテリや役所は文楽やクラシックだけを最上のものとする。これは価値観の違いだけ。ストリップも芸術ですよ」と言い出す変質者まで登場した。

こうした「日本の歴史と文化と伝統」の破壊者に対し、進歩史観を背景に持つ連中のロジックが機能しなかったのも当然だ。

要するに同類。

われわれ日本人に必要なのは「彼らと逆な思想」である。

道化のような振る舞い

晩年の三島は右翼を演じた一方で、保守主義者としての三島はそれを冷静に眺めていた。

つまり彼は分裂していた。

以下のような文章にも同じ構図を見いだすことができる。

………

編集部のたつての要請で、三島由紀夫といふ小説家をとりあげることになつたのですが、彼については私はあまりよく知りません。以下は編集部の集めてくれたデータばかりですが、それまで私の知つてゐたことは、むかし「美徳のよろめき」といふ小説を書いて、「よろめき」などといふヘンな言葉をはやらせたり、近くは、プライヴァシー裁判の第一審で敗訴して、天下の笑ひ物になつたり、といふことぐらゐです。彼は「男性の特徴とは知性と筋肉である」と主張し、自分は知性もあり筋肉もあるから、（と云つてもその筋肉は、例のボディ・ビルといふやつで、あとからくつつけた代物ですが）、自分こそ男性の代表であるなどと好い気になつてゐるさうですが、その御自慢の文学的知性と人工栽培的筋肉を以てしても、天下の裁判といふ大喧嘩に勝てなかつたのですから、まことにお笑ひ草です。

又、この人物はお洒落《しやれ》に独特の見識を持ち、三十九歳にもなつて、Ｇパンに革ジャンパーで、電車に乗つてジム通ひをしてゐるさうですが、女性がかういふ独善的なお洒落にチャームされるかどうか、全く疑問であります。大体、女性は老いも若きも、ダークスーツに渋いネクタイといふ男のお洒落の讃美者であつて、汚いＧパンなんか穿《は》いてイキがつてゐても、鼻つまみになるのがオチでせう。（「第一の性」）

・・・・・・・・・・

三島は「三島由紀夫」の道化のような振る舞いを客観視してみせる。もちろんそれにより、「この程度の批判のことはわかっている」と言いたい部分もあるのだろう。しかし、それだけではない。
三島は続ける。

…………

しかも、かういふ趣味は、実は、永井荷風かぶれの一種の貴族趣味から来てゐるのですから、一さらキザです。彼に言はせれば、本当の「精神貴族」（これは彼の大きらひな太宰治氏の愛用した言葉ですが）なら、Gパンが似合はなければならない、といふのです。といふのは、ダーク・スーツで自分を上品に見せかけようとするのは、つまり自分が本当は下品だからであり、革ジャンにGパンで漂ふ気品があれば、それこそ本当の気品であり、しかも精神の気品のみならず肉体の気品を漂はすには、ボディ・ビルをやらなければならない、といふ論法なのです。彼はつねづね男性の真の理想は、「詩人の顔と闘牛士の肉体を持つことである」などと言つてるさうですが、私が彼の写真を見た印象では、せいぜい「代書屋の顔とニコヨンの肉体」と云つたところであつて、大分理想からは遠いやうに思はれます。

第一、彼はそんなダンディズムを誰に通じさせようと思つてやつてゐるのか、理解

シャルル・ボードレール(1821-1867)／フランスの詩人、評論家。著書に『悪の華』など。

に苦しみます。女性にこんな小むづかしいダンディズムを理解させようとしてもムリでせうし、結局彼の一人よがりとしか思はれない。さう反論した人に、彼は次のボオドレエルの一句、

「悪趣味の忘れ難い魅力は、他人にいやがられるといふ貴族的な快味にある」

を引いて答へたさうですが、なるほどその点では、彼も或る程度の成功を収めたと言はなければなりません。(同前)

…………

三島が言いたいことはよくわかる。

大衆社会で「上品なもの」とされている下品なものを否定し、独りよがりであろうが、

「やるべきことはやる」という精神の貴族主義。
しかし、今の世の中でそれを続けるのはなかなかつらい。
三島はだいぶ、厭世的になっていた。

………

年と共に、彼の人間ぎらひはだんだんひどくなるやうで、それと共に淋しがりの一面も強くなり、このごろでは、実に扱ひにくい人間になつて来たといふ評判です。可哀想に、このお坊ちゃん育ちの小説家も、だんだん浮世の底に目がひらけて来、さて目がひらけて来ると、あれもイヤ、これもイヤ、といふ風になつた傾きがあります。尤《もっと》もこんな人物の悲観主義哲学なんか、本気にして聴いてやる必要はないので、フンフンと合槌《あいづち》を打つてやればそれですむことです。（同前）

………

先日、いつも行く鮨屋に入ったら、ジジイと女（四〇代）が、でかい声でいつまでも喋っていて、カウンターをガンガン叩いたりして、うるさいので一杯だけ飲んで店を出た。そいつらは食べ終わった後で茶もでているのに、いつまでも居座っている。その後、近くの居酒屋に行ったら、満席状態で大声で騒ぐ奴もいるし、タバコを吸う奴はいるしで、二杯だけ飲んで店を出た。なんで、あんなに大きな声を出すんだろう。もっとおだやかな世界で暮らしたい。

昔、某出版社の変なやつ（フリルのついた服を着ていた）と鮨を食べに行った。食べ終わったのにいつまでもカウンターの席に座ってじっとしているので、「行きましょうか？」と言ったら「えっ、もう行くんですか」と。そいつは、食事が終わった後も、いつまでも席にずっと座っているらしい。

私もたまに非常に厭世的な気分になる。

文明開化主義と啓蒙主義

グローバリズムもナショナリズムも近代の産物であり、対立する概念ではない。むしろナショナリズムによる世界の数値化・人間の概念化はグローバリズムの基盤になっている。近代国家は民族の言葉（感情）を基盤にしているかのように装う。その一方で、民族を抑圧する。公教育において「方言」は修正され、標準語が押し付けられる。これは産業化の過程と軌を一にする。

三島は言う。

日本の官僚の文化政策というのは、みんなそんなところなんだ。啓蒙主義と、明治の文明開化主義を一歩も出ない。文明開化主義と啓蒙主義では、日本の文化は絶対守れない。（「文武両道と死の哲学」）

…………

「文明開化主義と啓蒙主義」は文化を破壊した。
近代とは啓蒙主義を推し進め、前近代を破壊する運動のことである。
三島は続ける。

…………

文化人というのはいつものんきなんだが、資本家が金をこわがるように、どうして文化人は文化というものの、もろさ、弱さ、はかなさ、というものを感じないんだろうかね。
この戦後ずうっと考えてきたことは、文化というものは無力であるということ。これは確かに文学も無力だし、何も無力だ。だけど無力だから、無力なりに役に立とうという「政治と芸術」的考え方というものに、ぼくはいつも反対してきた。いまでもぼくは、文化というものは、ほんとにどんな弱い女よりもか弱く、どんな破れやすい布よりも破れやすい、もう手にそうっと持ってにゃならんのだと思いますね。そっからすべてのものの危機感がくるんだし、それで、そのためには自分のからだを投げ出してもいいいと思うしね。

そう思うんですが、ぼくにとっちゃそういうものの延長上に天皇だ何だという問題が出てくるんで、絹のようなもの、日本文化の中で一番デリケートな、一番やさしい、こわれやすいものというのは、頭の中にしじゅうあるんです。(同前)

・・・・・・・・・

三島が想定しているのは、「つくられた伝統」ではなくて、「確固として存在するもの」である。

第一章でも述べたが、それは彼が「文化意志」と呼んだものだった。

三島は文化は目に見えるものだと言う。

だから形になったものを並べて端から端まで目を通せば、自ら明らかになる。

三島は言う。

・・・・・・・・・

一方ではそういうものを、つまり守るという考えはぼくきらいですがね。文化なんて守るもんじゃない。つまり一瞬々々にね、ほんとに蝶がついと来て、テーブルの上に影をポッと落して、飛んで行くようなもんだ。そういうもののためにわれわれは全エネルギーを使って生きている。

それと同時にもう一つ、それを今度は別の次元でもって、われわれは十分な知識と、十分な見通しと、十分なタクティックスを持っていなきゃね、そんなほのかなものをどうやって維持するんですか。(同前)

・・・・・・・・・

私がやっている仕事もこれだ。

過去の優れたものを紹介する。

優れたものには触れ続ける必要があるからだ。

私は年間一〇回くらい上野の国立西洋美術館の常設展に行く。

単純計算すれば、この二〇年で二〇〇回行っていることになる。

すぐ近くにある東京都美術館や上野の森美術館、国立博物館や科学館でやっている特別展を見た後は必ず立ち寄る。もちろん、西洋美術館の特別展のときも行く。

常設展の絵の配置はたまに変わるが、ほとんど同じ。

ではなぜ何度も行くのか？

忘れるからである。

一回見ただけで映像を記憶してしまう特殊な人（神戸連続児童殺傷事件の少年Aはそうらしい）もいるのだろうが、どんなに好きな絵でも、細かいところまで覚えていられない。

ゲーテは毎年劇作家モリエールの作品を二、三篇読み返した。


……………

私が彼に魅せられるのは、優れた技巧だけでなく、愛すべき天分、高い教養を身につけているからだ。彼は作法にかなったものに対する優美な礼儀を心得ている。

（エッカーマン『ゲーテとの対話』）

…………

絵画も同じことだ。

すぐれたものには触れ続けなければならない。

ゲーテは《私たちのような小粒の人間はこういうものの偉大さを心の中にしまっておくことなどできない。だから、ときどきそこに戻って、その印象を心によみがえらせることが大事なのだ》（同前）と言う。

西洋美術館の常設展の出口付近に、ジョルジュ・ルオーの『道化師』がある。

それを見るたびに、ゲーテの言葉を思い出す。

われわれは意識的に努力を続けないと正気さえ維持できない時代に暮らしているのである。

古代ギリシャの人間観

三島が毛嫌いしたのが近代大衆社会だとしたら、批判は当然その背後に控えるキリスト教へ向かう。

……………

今日われわれが考へるやうな「人間性」乃至《ないし》「人間主義」なるものは、ギリシアにはなかつた。しかしギリシア的な生の意識は、コルフによれば、「上昇していく人間態（Menschentum）の誇らしき自己意識、自身の力に対する信頼、人間一般に対する信仰」であつた。コルフによれば、「人間性」の概念はローマのキケロにはじまつたが、この人間主義は、キリスト教に対する抵抗の意味をもたないゆゑに、ルネッサンス以後の人間主義とまるでちがふ。そしてキリスト教なるものには、『人間性』の理念と理想との入り込む余地が全然ない、或ひはあるにしても全く周辺の余地しかない」のである。（「小説家の休暇」）

・・・・・・・・・・

ルネッサンスはキリスト教から「人間性」を取り戻す運動だった。ルネッサンスの基本精神はヒューマニズム（人間主義）である。

古代ギリシャがいかに美化されたかという議論はあるにしても、キリスト教に汚染されていない時代に西欧人の目が向かうのは理解できる。

三島は言う。

・・・・・・・・・・

キリスト教は、世界と人間とから逃避しつつ、同時に自然からも逃避した。キリスト教の根本的な信念は、もっとも反自然的なものを「精神」と呼ぶことにある。

（中略）

近代的人間のかういふ孤独の救済のために、二つの方法が考へられる。キリスト教によつて再び、自然から世界から人間から逃避するか、古代希臘の唯心論的自然観のうちにふたたび身をひたすか。ヘルデルリーンは後者に従つたが、もとよりギリシアはすでに死んでをり、彼の行く道は、浪漫派的個性の窄狭《さくきょう》な通路しかなかつた。（同前）

・・・・・・・・・

ここで三島が言っているのは、どちらにせよ自己欺瞞ということだ。
三島は注意深く復古主義に警告を発している。
では、三島の掲げる「日本文化における美」も窄狭な通路ではないのか？
それもまた欺瞞ではないのか？
三島は、違う、と言う。

　日本文化における美は、あたかも西欧文化の文化的ヒエラルヒーの頂点に一理念が戴かれるやうに、理念に匹敵するほど極度に具体的な或るものとして存在してゐる。そこでは、理念は不要なのである。なぜなら、抽象能力の助けを借りずに、むしろそれと反対な道を進んで、個別から普遍へと向はず、むしろ普遍から個別へ向つて、方法論を作らずに体験的にのみ探求を重ねて、しかも同じやうに絶対（この「絶対」といふ用語も、仮に比喩として使ったのだが）をめざして進む精神は、理念の代りに、それの等価物たる或る具体的存在にぶつからざるをえない。私がこれを美と呼ぶのは、あくまで西欧的概念にすぎず、他に名付けやうのないものに、仮りにその名称を借りたにすぎぬ。私は、このことについては他所でもたびたび書いたのだが、日本の美は最も具体的なものである。世阿弥がこれを「花」と呼んだとき、われわれが花を一理念の比喩と解することは妥当ではない。それはまさに目に見えるもの、手にふれられるもの、色彩も匂ひもあるもの、つまり「花」に他ならないのである。（同前）

つまり、西欧の「美」と、日本で「美」と考えられているものは違うものだと。美は事物の背後にあるのではなく、表面にしか表れない。小林秀雄に言わせれば、《美しい花がある。花の美しさというものはない》（「当麻」）。

世阿弥の言う「秘すれば花」は、もちろん「少し控えめにして隠しておくほうが品がいい」という意味ではない。世阿弥が『風姿花伝』で言う「花」は、比喩でも抽象でもなく、極めて具体的かつ表面的な美のことである。稽古を積み、芸を隠し持てということだ。

三島は、いわゆる「日本文化」を批判する。

小林秀雄（1902-1983）／批評家。著書に『モオツァルト』『考えるヒント』など。

………………

一方、日本文化の外への運動については、政治的措置にすぎぬ鎖国のかげで、その感受性の受容能力は、日本および支那の古典と、現実の風俗のみに向けられて、これが今日、あやまつて「日本的」と呼びなされる、偏頗《へんぱ》な特質、似て非な独自性を形づくつた。（「小説家の休暇」）

………………

三島は捏造された「日本文化」を否定し、「目に見えるもの、手にふれられるもの、色彩も匂ひもあるもの」を提示しようとした。それこそが、三島の作家活動だった。

箸の持ち方

保守はイデオロギーを嫌う。

大上段からの説明を拒否する。

現実から乖離したもの、夢、理想を警戒する。

大きなことを語るより、小さなことを重視する。

私がツイッターで安倍晋三のデタラメな食事マナーを指摘すると、「そんな瑣末なことしか批判できないのか」「箸の使い方なんてどうでもいい」「政治家は政策で判断しろ」といったリプがつくことがある。

三島は言う。

もう一つは、生活の細目ということから行動規範を見つけ出すという考えで、私は、「葉隠」の場合、遠近法が非常にはっきりしていると思うのですが。いちばん手もとにある、箸の上げおろしから、盃の持ち方、そういうことからモラルをつめていって、それが美しいか美しくないかということから、こうすべきだ、ああすべきだということになり、最後に死へもっていっているという感じがしまして、いまの人たちの道徳観とぜんぜん逆みたいですね。

話が急に通俗的になりますが、このごろの青年は時間を守らない。時間を守るというようなことは瑣末なことである、本質をつかまえればいいんだ、という考えが非常に強いのですが、「葉隠」はそういうことを非常に嫌うようですね。瑣末なことに非常な重要なものがある。（「『葉隠』の魅力」）

箸の上げおろしは「瑣末」であるからこそ重要である。安倍の箸の持ち方や茶碗の持ち方は常軌を逸している。握り箸、犬食い、押し込み箸、迎え舌……。

これは、歴史や文化、伝統、あるいは「公」というものに対する姿勢とそのままつながっている。

三島は言う。

……………

私は、現代民主社会は、全部嫌いなのです。現代は間違った世の中で、本当に間違った世の中に生きているのですが、たとえば、私は人間関係は、みんな委員会になっちゃったというのです。そしてうそですね。うそでかためれば安全、謙譲の美徳を発揮すれば安全、安全第一。そして人間関係も、とにかく世論というものをいつも顧慮しながら、不特定多数の人間の平均的な好みに自分を合わせれば成功だし、合わせることができなきゃ失敗。これが現代社会ですよ。(同前)

やしきたかじん（1949-2014）／歌手、タレント、司会者（写真左）。橋下徹（1969-）弁護士、タレント、元政治家（写真右）。

世の中、すべて委員会である。

子供の頃から学級委員会でがんじがらめ。

『たかじんのそこまで言って委員会』という番組もあったが、安倍はそこに十数回も出演している。総理大臣就任後も出演し、「橋下（徹）市長の国政進出はありえる」と言い放った。これが現代社会である。

第四章

キリスト教と民族の神

1969年01月21日、自宅でインタビューを受ける三島。

#「道徳的世界秩序」という呪文

三島は「弱さを売り物にしている人間」を否定した。

そしてそれを、生物界の法則に反したデカダンな例と認めた。

これはニーチェの議論に近い。

まずはニーチェの議論の流れを追ってみる。

古代のユダヤ民族は価値の転換をはかった。

虐《しいた》げられている人間は当然、敵に対して恨《うら》みを持つ。

普通だったら、「いつか見返してやろう」とか「そのうちやっつけてやろう」と思う。

しかし彼らは、強い敵は「悪」である、弱い自分たちこそが「善」であると考えることにより、自分たちを納得させた。

この価値転換の手法を利用したのが教会である。

キリスト教は、負けた者や押さえ付けられてきた者たちの不満が土台となっている。つまり、キリスト教は最下層民の宗教である。

キリスト教では、毎日お祈りをして、自分の罪についてしゃべったり、自分を批判したりする。それでも、最高の目標に達することは絶対にできない仕組みになっている。

キリスト教徒は、豊かな大地や精神的に豊かな人に対して、徹底的に敵意を燃やした。具体的に「肉体」を持っているものに反発して、自分たちは「霊魂」だけを信じることで、張り合おうとした。

キリスト教は、立派な心がけ、気力や自由、あるいは心地のよいこと、気持ちがよいこと、そして喜びに対する憎しみである。

こうしたルサンチマンのパワーはすごい。

恨みを持っている人は世界中にたくさんいる。だからこそ、キリスト教は世界宗教になったのだ。

イエスは愛を説いたが、キリスト教会はその反対の憎しみや恨みを集約することで、世界を支配するようになった。こうしてヨーロッパの歴史は、ルサンチマンの産物になってしまった。

教会は人類の歴史をキリスト教の歴史へと書き換えた。

ニーチェは、キリスト教道徳は「高貴な道徳」を否定するために発生したと言う。人生をよりよく生きること、優秀であること、権力、美、自分を信じること。こうした大切なものを徹底的に否定するために、まったく別の価値基準がでっち上げられた。

それが「道徳的世界秩序」である。

本来「善い」という言葉は、高貴な人間や力を持つ人間が自分を規定するときに生じたものだった。彼らは自分に備わっている特性を「善い」と呼んだ。

フリードリヒ・ニーチェ（1844-1900）／哲学者、古典文献学者。著書に『善悪の彼岸』など。

一方、力がないこと、病弱であること、気力がないことを「悪い」と呼んだ。

これが真逆にひっくり返された。

そして仕舞いには、価値のない人間こそが、人類の価値をおとしめることこそが「善い」ということになってしまった。

ニーチェは言う。

・・・・・・・・・・

それ以後は人生の諸事万般が、僧侶がいたるところで不可欠であるように秩序づけられてしまった。人生のあらゆる自然の出来事のうちに、「犠牲」（食事）については言わずもがな、出産、結婚、病気、死にあたって、それらを非自然化するために、この聖なる寄食者が立ちあらわれる、——その用語で言えば、「神聖化する」ために・・・（『反キリスト者』）

・・・・・・・・・

こうして、ヨーロッパは精神の奴隷に支配されるようになった。

三島の議論の前提にはニーチェの正確な受容がある。

なお、ニーチェの思想は保守主義そのものである。

ニーチェは、近代を根底から疑い、形而上学により奪われた人間の全体性を回復しようとしたのである。

福田恆存と折口信夫

三島が敵と見定めたのはキリスト教だった。

キリスト教、すなわち唯一神教の神を利用する勢力は、姿を変えながら、世界を支配してきた。

民主主義、共産主義、全体主義……といったものは、一つの表れにすぎない。

三島は言う。


　　……………

さうして私は近代日本が摂取した西欧文明のうちで、もつとも害悪あるものを、キリスト教と見做《みな》してゐる。（「女ぎらひの弁」）

・・・・・・・・・

三島はキリスト教による芸術の破壊を指摘した。こうした問題を突き詰めて考えたのは、わが国では、たとえば小林秀雄であり、福田恆存であり、折口信夫である。

三島は福田をこう評した。

・・・・・・・・・

そこでこのローレンスの弁護人は、近代日本文学がクリスト教文明下の芸術の苦しい運命を、その文明形態の被征服者として「クリスト教国における以上に」苛酷に耐へてゐるといふ前提の下に、クリスト教文明の三つの欠陥、選民思想と、弁証癖と、芸術の意匠化とによつて、いかに現代の芸術が毒せられ、衰滅に瀕《ひん》してゐるかを、明快に分析してみせるのである。第一の選民思想は、クリスト教独特の主客対立の闘争原理によつて、たえざる支配の主体すら客体化されざるをえず、芸術家が自己の立場を喪失し、つひには芸術否定に陥る病弊を、第二の弁証癖は、同じく原罪思想から出発して自己証明の目的から離れられないクリスト教文明が、芸術上の実践の快楽を喪失して、モニュメントの芸術によつて後世を支配しようと企てるにゐたる病弊を、第三の意匠化は、芸術を不要なものたらしめるユートーピアの観念的実在が、このユートーピアに奉仕するために、芸術をして、意匠と化した現実を整理選択するほかに道なからしめる病弊を、それぞれ招来した（後略）。（「福田恆存」）

折口信夫（1887-1953）／民俗学者、国文学者。柳田國男の高弟として民俗学の基礎を築く。

・・・・・・・・・

「クリスト教国における以上に」苛酷なのは、西欧と違って日本にはアンチクリストの伝統がないからである。保守思想は近代的理念、理性に対する疑いの姿勢を崩さないことだ。そして、近代の根本はキリスト教であり、もっとさかのぼればプラトニズムである。それが自然から切断された「病人」の支配を生み出した。日本人にはその免疫がなかった。南米文明は西欧の軍事力ではなくて、西欧からもたらされた伝染病により滅んだ。それと同じ。わが国は軍事力ではなく、精神の病により滅んだのである。

三島は折口信夫にひどいことを言う。

……………

白面の、肺病の、夭折抒情詩人といふものには、私は頭から信用が置けないのである。先生のやうに永い、暗い、怖ろしい生存の恐怖に耐へた顔、そのために苔が生え、失礼なたとへだが化物のやうになつた顔の、抒情的な悲しみといふものを私は信じる。

(「折口信夫氏の思ひ出」)

日本にはかの基督《キリスト》教文化の醜悪低俗なる暴力が、古代文化を覆《くつが》へした最大の不幸がなかつたところから、氏は「金枝篇」のフレイザアのやうな、煩瑣な実証主義にも陥らず、ペイタアのやうな、マリウスをして新興の基督教に開眼せしめる常套にも与《くみ》せず、日本の民族に今なほのこつてゐる神々の面影に憑《つ》かれ、現代に生きながら、同時に、古代世界に生きる生涯を終られたのであつた。西欧の希臘《ギリシヤ》主義者、異教主義者には、どうしてもキリスト教の異端といふトゲトゲしさやうしろめたさが一条の尾を引いてゐるが、ゲーテ、ヴィルケンマン、ペイタアの如きが、漸《やうや》く、円満な古典家の風俗に近づいてゐる。(「折口信夫」)

・・・・・・・・・

余談だが、某氏があるパーティーのスピーチで、「おりぐちのぶお」「おりぐちのぶお」と連呼していたので、いたたまれない気分になった。もちろん「おりぐちしのぶ」である。「現代に生きながら、同時に、古代世界に生きる」ためには、キリスト教に汚染されていない古典に触れ続けることだ。

幽閉された「愛」

ニーチェの哲学は形而上学の世界に幽閉された「愛」を人間の手に取り戻すことだった。ニーチェが批判したのはキリスト教道徳であり、道徳一般ではない。その逆で、モラルが破壊された原因を突き詰め、人間性の回復を目指したのがニーチェの哲学である。

三島は言う。

………

キリスト教道徳は根本的に偽善を含んでゐる。それは道徳的目標を、ありもしない普遍的人間性といふこと、神の前における人間の平等に置いてゐるからである。これに反して、古代の異教世界においては、人間たれ、といふことは、男たれ、といふことであつた。（「女ぎらひの弁」）

……………

唯一神教の神の名において、人間と神の距離は等価になる。その仕組みを利用したのが教会だ。神の代弁者を名乗る組織による「普遍的人間性」という教義に従い、個別の人間は揃えられ、それ以外は排除される。キリスト教の「愛」は愛を破壊した。

三島は言う。

……………

キリスト教文化をしか知らぬ西欧人は、この唯一神教の宗教的非寛容の先入主を以てしか、他の宗教を見ることができず、英国国教のイングランド教会の例を以て日本の国家神道を類推し、のみならずあらゆる侵略主義の宗教的根拠を国家神道に妄想し、神道の非宗教的な特殊性、その習俗純化の機能等を無視し、はなはだ非宗教的な神道を中心とした日本のシンクレティスム（諸神混淆《こんこう》）を理解しなかつた。敗戦国の宗教問題にまで、無智な大斧《おおおの》を揮《ふる》つて、その文化的伝統の根本を絶たうとした占領軍の政治的意図は、今や明らかであるのに、日本人はこの重要な魂の問題を放置して来たのである。（「問題提起」）

・・・・・・・・・

諸神混淆とは何か？

参考になりそうな文章が、『民族とネイション』（塩川伸明）にあったので以下引用する。

・・・・・・・・・

長らく現実の政治権力から離れ、その権威を広く国民に浸透させてはいなかった天皇を一挙に至高の権威とするため、明治初期においては、祭政一致と神仏分離が推進され、神道を明確に国教とする動きさえもあった。しかし、急進的な廃仏毀釈は、仏教勢力を国民統合に利用する必要があったことから後退を余儀なくされ、また「文明開化」の時代潮流の中でキリスト教布教もいずれは容認せざるをえなかった。明治憲法は「信教の自由」を「安寧秩序を妨げず、及び臣民たるの義務に背かざる限りにおいて」という条件つきでうたった。その際、神社神道は祭祀であって宗教ではないという説明（神道非宗教説）によって、その宮中祭祀化が保証された。神社神道が祭祀に限定された一方、宗教としての神道諸派はそれとは別に「教派神道」という位置を与えられた。神社神道は国家的地位を確保して、全国にわたる公式のヒエラルヒーを構築する一方、教派神道は実質的には他宗教との混淆《シンクレティズム》（習合）の要素を残しながらも、「神道」として神社神道と連続するかの外観をとるようになった。

…………

三島はキリスト教を本能に持つ西欧文明を警戒した。

…………

尤も、右のやうな傾向はまだ予感にすら達せず、われわれはあと何十年かのあひだ、模索を重ねて生きるだらうが、とにかくわれわれは、断乎として相対主義に踏み止《とど》ま

ギルバート・キース・チェスタトン（1874-1936）
／批評家。著書に『正統とは何か』など。

らねばならぬ。宗教および政治における、唯一神教命題を警戒せねばならぬ。幸福な狂信を戒めなければならぬ。現代の不可思議な特徴は、感受性よりも、むしろ理性のはうが、（誤つた理性であらうが）、人を狂信へみちびきやすいことである。（「小説家の休暇」）

ただ僕は、自由主義政治論の欠点は、人間の理性の妄信というのがあると思うのですよ。バートランド・ラッセルが、現在では、いちばん狂気に陥りやすいのは理性だと言っているのですね。（「対話・日本人論」）

・・・・・・・・・・

作家のギルバート・キース・チェスタトンは保守主義者ではなくて自由主義者だが、
《狂人とは理性を失った人ではない。狂人とは理性以外のあらゆる物を失った人である》
といった保守的な言葉も残している。
この発言は正しい。
左翼・近代主義者は理性を神格化する。そしてそこから一般法則を導き出す。
一方、保守主義者は理性を否定するのではなく、理性の暴走を否定する。
理性を神格化したのはマクシミリアン・ロベスピエールだった。
理性に対する過信、狂信は、地上に地獄を生み出した。

近代という問題

自然・人間・道徳・歴史がキリスト教により大きく歪められてきた。それが近代を生み出した。近代は共同体から人間を切り離し、数値化・概念化した。そして構造上、復古の道は閉ざされている。

三島は戦後の精神の空白の問題に注目した。

高度経済成長による繁栄に誰もが浮かれ、「もはや戦後ではない」などと言い出したとき、三島は戦後の問題がこれから噴出することがわかっていた。

三島は言う。

……………

これは福沢諭吉の「民情一新」のなかで言っているのだけども、とにかく「ひとたび国を開けば、蒸気、電信の呼び起こす変動そのもの、わが国自身のうちに生ずることは覚悟しなければならぬ」ということは、福沢諭吉もよく知っていた。（中略）近代化イコール西欧化と考えれば、そのなかでいちばん国の本質的なもの（戦前に国体と称したものがそうかもしれませんが）、純粋性、その純粋性がどうしても西欧化できないものはいったいなんだったろうかと、また西欧化できなかったことはまちがいだったのか、あるいはそれも西欧化できると信じたことはまちがいだったのか、そういう反省の時期にいまきている。（「対話・日本人論」）

・・・・・・・・・

福沢は西欧かぶれの啓蒙主義者ではない。近代化、西欧化の問題と対峙するために、近代の本質をつかまなければならないと説いたのだ。

そのための武器が「学問」であり「人民独立の気力」である。

三島は近代への対抗軸として皇室に言及する。

福沢諭吉(1835-1901)／蘭学者、著述家、啓蒙思想家、教育者。慶應義塾の創設者。

・・・・・・・・・

天皇はあらゆる近代化、あらゆる工業化によるフラストレイションの最後の救世主として、そこにいなけりゃならない。それはいまから準備していなければならない。それをアンティエゴイズムであり、アンティ近代化であり、アンティ工業化であるけど、決して古き土地制度の復活でもなければ、農本主義でもない。日本の農村は将来、昭和五十年ごろは、東海道線ラインに人口の八割が来ちゃうかもしれない。そうすると、農村というものは意味をなさなくなる。その場合でも、天皇は一番極限にいるべきだ、という考えなんですよ。ですから、近代化の過程のずっと向うに天皇があるという考えですよ。

その場合は、つまり天皇というのは、国家のエゴイズム、国民のエゴイズムというものの、一番反極のところにあるべきだ。(「文武両道と死の哲学」)

………

近代国家に皇室はなじまない。

だから皇室は国家のエゴイズムから切り離さなければならない。

三島は言う。

………

天皇が自ら人間宣言をなされてから、日本の国体は崩壊してしまった。戦後のあらゆるモラルの混乱はそれが原因です。なぜ、天皇は人間であってはならぬのか。少なくともわれわれ日本人にとって神の存在でなければならないか。このことをわかりやすく説明すれば、結局「愛」の問題になるのです。

近代国家はかつての農本主義から資本主義国家へ必然的に移行していく。これは避けられない。封建的制度は崩壊し、近代的工業主義へ、そしていきつくところは、人生の絶望的状態である完全福祉国家とならざるをえないすう勢だ。そして一方、国家が近代化すればするほど、個人と個人のつながりは希薄になり、冷たいものになるんですね。かういふ近代的共同体のなかに生きる人間にとつては、愛は不可能になつてしまふ。たとえばAがBを愛したと信じても、かういふ社会では、確かめるすべをもたない。逆にBのAに対する愛にしてもさうです。つまり、近代的社会における愛は相互間だけでは成立しないといふことなのです。愛し合ふ二人の他に、二人が共通にいだいてゐる第三者（媒体）のイメージ――いはば三角形の頂点がなければ、愛は永遠の懐疑に終はり、ローレンスのいふ永遠の不可知論になつてしまふ。これはキリスト教の考へ方でもあるが、昔からわれわれ日本人には、農本主義から生まれた「天皇」といふ三角形の頂点（神）のイメージがあり、一人々々が孤独に陥らない愛の原理を持つてゐた。天皇はわれわれ日本人にとつて絶対的な媒体だつたんです。（「三島由紀夫氏の〝人間天皇〟批判」）

……………

三島は「われわれのいちばん心の奥底で鋭い問いを問いかけ、外国のあらゆる力の干渉に対して、何千年の歴史・伝統をもって堂々と応え得るもの」として皇室を挙げる。

国民を統合する原理には皇室が必要になる。皇室には、日本人の美意識、先祖崇拝、自然信仰、仏教、神道に含まれるあらゆる感情が投影されている。

ナショナル・アイデンティティを支えるものは、外側に置くしかない。人間の内側に置いてしまったら、つまり、政治的に管理してしまったら、神としての位置は危うくなる。

・・・・・・・・・

人は、天皇と言ふと、たちまち戦前、明治憲法下における天皇制の弊害を思ひ出し、戦争からにがい経験を得た人ほど、天皇制に対する疑惑を表明してきたのが常ですが、私は、天皇制とは、その歴史は、あくまでもその時代時代の国民が、日本人の総力をあげて創造し復活させてきたものだと思ふのです。いつも新しい天皇制があり、いつも現在の天皇制があり、その現在の天皇制の連続の上に永遠の天皇制があるといふところに、天皇の本質がひそむのです。（「70年代新春の呼びかけ」）

・・・・・・・・・

当然、こうした主張は近代主義者＝左翼には評判が悪い。

しかし、三島は皇室を解体しようとする勢力の背後に唯一神教の神が座っていることを理解していた。人間の脳の構造上、超越的な場が発生するとしたら、そこにはなんらかの神が座ることになる。

普通に考えれば、国家において統合原理の必要がなくなるわけでもないし、超越的な場が消滅するわけでもない。あるシンボルが消えたとしても別のシンボルに変わるだけだ。

小林秀雄は《人類という完成された種は、その生物学的な構造の上で、言ってみれば、肝臓という器官をどうしようもなく持っているように、宗教という器官を持っている》と言った。

結局、近代人は、姿を変えた唯一神教の神を拝み続けている。理性、合理、普遍的真理……。それが近代社会だ。

神は死んだ！

三島の議論を根本的なところで理解するためには、ニーチェの考え方が参考になる。

「神は死んだ！」というニーチェの有名な言葉がある。

その本当の意味は「神は死んでいない」ということだ。世の中の多くの人間は神は死んだと思っているかもしれないが、唯一神教の神は近代イデオロギーに化けてわれわれを支配しているということである。

キリスト教の構造が近代に引き継がれ、世の中がおかしくなったというのがニーチェの見取り図だ。西欧において、超越的な価値とされてきたものが、人間の生を歪めていると。

ニーチェは宗教一般を否定したわけではない。

キリスト教の根底にある「反人間的なもの」を批判したのだ。

・・・・・・・・・・

――私たちが袂を分かつゆえんは、歴史のうちにも、自然のうちにも、自然の背後にも、私たちがなんらの神を見つけださないからではない、――そうではなくて、神として崇められていたものを、私たちが「神」とは感ぜず、憐れむべきものと、背理と、有害と感ずるからであり、誤謬としてのみならず、生への犯行として感ずるからである・・・（『反キリスト者』）

――いまだおのれ自身を信じている民族は、そのうえおのれ自身の神をももっている。そうした民族が神において崇めるのは、おのれを上位に保たしめてくれる諸条件、おのれの諸徳であり、――このような民族は、おのれでおぼえるその快を、おのれの権力感情を、これらに対する感謝をささげうる或る存在者のうちへと投影する。（同前）

民族は自己肯定の感情、運命に対する感謝を、「或る存在者」に投影する。これが祭祀である。

三島の議論にあてはめれば、わが国では皇室ということになる。ニーチェは「民族の神」が、唯一神教という「一面的な薄っぺらな神」「不健康な神」に歪められたことを批判した。

しかし、ここで重要なのは「民族の神」もまた嘘であることだ。

あらゆる神はフィクションにすぎない。しかし、こうしたフィクションは、民族がよりよく生き抜くための技術なのである。これをニーチェは「聖なる嘘」と呼んだ。宗教は「聖なる嘘」である。問題

ヴォルフガング・アマデウス・モーツァルト（1756-1791）／ウィーン古典派の音楽家。

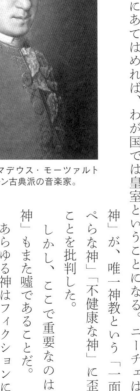

スタンダール（1783-1842）／フランスの小説家。著書に『恋愛論』『赤と黒』など。

は、キリスト教には「聖なる」目的がないことだと。

ニーチェは、キリスト教が「原罪」という概念により人間の生を、処女懐妊の物語で人類の誕生を汚したと批判する。

ニーチェは真理を否定したのではない。「真理とされてきたもの」を否定したのである。

道徳を破壊したのではない。「道徳とされてきたもの」を破壊したのである。

あらゆる真理は表層に現れる。

これはキリスト教の考え方とは真逆だ。概念の暴力により、現実を切り捨ててはいけない。三島はキリスト教発生以前の古代ギリシャに健康な文化を見いだした。

・・・・・・・・・

しかし一方では、私の中にどうしやうもない明るい芸術の魔力が再びよみがへり始めた。たとへば音楽でいへばモーツアルトのやうな、小説でいへばスタンダールのやうなもの。そしてそれらの向うにはギリシャの芸術があつた。私はやはりニイチェ的な考へでギリシャの芸術を見てゐたと思ふのであるが、どこをついても翳《かげ》のないやうな明るさ、完全な冷静さ、ある場合には陽気さ、快活さ、若々しさ、さういふものが見かけだけのものではなくて、一番深いフシギなものをひそめてゐることに打たれた。そして一番表面的なものが、一番深いものだとさへ考へるやうになつた。（「わが魅せられたるもの」）

第五章

皇室と憲法

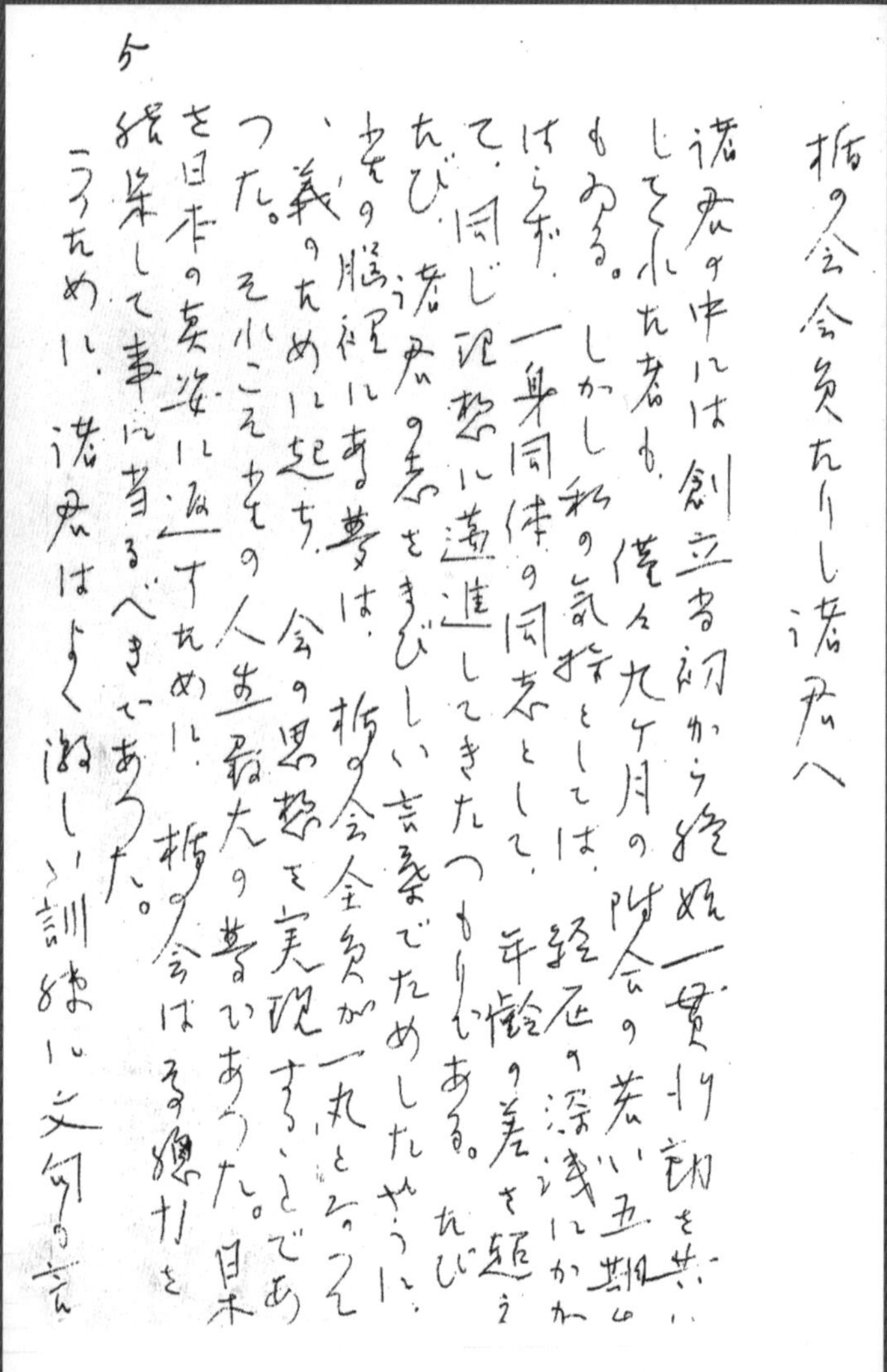
楯の会会員たりし諸君へ

諸君の中には創立当初から終始一貫行動を共にしてくれた者も、僅々九ケ月の附合の若い五期生もゐる。しかし私の気持としては、経歴の深浅にかかはらず、一身同体の同志として、年齢の差を超えて、同じ理想に邁進してきたつもりである。たびたび、諸君の志をきびしい言葉でためしたやうに、小生の脳裡にある夢は、楯の会全員が一丸となつて、義のために起ち、会の思想を実現することであつた。それこそ小生の人生最大の夢であつた。日本を日本の真姿に返すために、楯の会はその総力を結集して事に当るべきであつた。

このために、諸君はよく激しい訓練に文句も言はず

今

1970年11月25日、陸上自衛隊東部方面総監部に「楯の会」の一部会員とともに乱入した際、三島が同会の会員にあてた「遺書」が公開された。

保守主義者であるということ

これまでの私の話をまとめればこうなる。

①三島は本質的な意味における保守主義者だった。
②だから、三島は右翼になりきることができなかった。
③晩年は右翼を演じている自分を客観的に見つめる保守主義者としての三島がいた。
④つまり、三島という人間の中では保守主義者と右翼が同居していた。
⑤これは概念上、成立しない。
⑥よって三島は分裂した。

それで三島は悩んだ。三島はまじめだった。あらゆる方法を使って、自分の中に生じている「矛盾」、あるいは保守から右翼への「跳躍」を説明しようとした。

しかし、説明を必要とする時点ですでに右翼ではない。

三島は最後まで保守主義者の視点で、自分を眺めていた。


三島のイラつきはよくわかる。

近代は一方通行の構造を持つ。

だから、近代を疑う保守は戦う前から負けているのである。

負けが宿命づけられている。

基本的に何を言ってもムダなのである。

それでも何か言わなければならないという気持ちにもなってくるが、その一方で、ムダなことをやり続けることにも疑問を感じてくる。そこには、後ろめたい気持ちもある。保守主義者は一般にこうした葛藤を経験する。

三島は小説家の武田泰淳にこう漏らしている。


………

僕はいつも思うのは、自分がほんとに恥ずかしいことだと思うのは、自分は戦後の社会を否定してきた、否定してきて本を書いて、お金もらって暮してきたということは、もうほんとうに僕のギルティ・コンシャスだな。（「文学は空虚か」）

・・・・・・・・・・

しかし、これは個人で責任を取れるような問題ではない。

少し厳しい言葉を使うが、こうしたある種の思い上がりが、三島が右翼を演じるようになった理由ではないか。

三島は真っ当な保守主義者だったので、復古主義や民族主義の脆弱性も理解していた。

・・・・・・・・・・

中近東や東南アジアの民族主義に対するわれわれの同意は、伝来の「弱きを助け強気を挫《くじ》く」助六精神であるけれど、弱い筈の民族主義者が、モスクワから帰つてくると、「原爆さえもおそれてゐない」と啖呵を切り出し、一方、「強気を挫く」だけの助六の腕力がわれわれに欠けてゐる以上、民族主義に対するわれわれの立場は、不透明にならざるをえない。第一、日本にはすでに民族「主義」といふものはありえない。

われわれがもはや中近東や東南アジアのやうな、緊急の民族主義的要請を抱へ込んでゐないといふ現実は、幸か不幸か、ともかくわれわれの現実なのである。（「裸体と衣装」）

・・・・・・・・・

三島はナショナリズムが要請する「選択された伝統」のいかがわしさも熟知していた。
大東亜戦争における日本軍の世界史的位置づけもわかっていた。
軍部にも昭和天皇にも批判的だった。
「愛国者」を自称する人間を嫌悪した。
「愛国心」を嫌った。
それでも「おもちゃの軍隊」を結成した。
それが悪趣味なままごとであることは、三島自身がよくわかっていた。
三島は当時西武デパートの社長だった堤清二に電話した。
この時の話を、辻井喬（堤のペンネーム）はこう書いている。

………

実は、楯の会の制服は、私のところでつくったのです。当時、三島さんはフランス大統領のド・ゴールの洋服［軍服か］をとても気に入っていた。だから楯の会の制服は、ド・ゴールの洋服をつくっている人に頼みたいと思ったのです。それでいろいろ調べたら、日本人がつくっていた。五十嵐《いがらし》九十九《つくも》。それなら頼みやすい、五十嵐はどこにいるかと探したら、西武百貨店の紳士服の顧問デザイナーというのかな、そういった仕事をしていた。それで私のところに、「あんたのところに五十嵐というのがいるか」と電話がかかってきた。「ああ、いますよ」と言ったら、「ちょっと頼む」ということになっ

堤清二（1927-2013）／実業家、小説家、詩人。筆名は辻井喬。セゾングループの元代表。

た。

それで会ったら、「こういう世界最小の軍隊を僕はつくる。制服が大事なんだ、恰好がよくなければいかん」と言う。「何でそんなものをつくるんですか」と言ったら、「それはね、作品だよ、作品」と言っていました。政治運動ではない、作品だと。

このとき以降、月一回かな、昼食を食べたり、飲みに行ったりしました。私自身、楯の会については何の意味もないと思っていましたが、彼はノッていましたね。ちゃんとお金を払ってくれましたから、会社に対しては具合が悪くありませんでしたよ。制服は四〇人分くらいつくらなければならず、相当大変だったと思いますが、いい制服でしたね。」（『わが記憶、わが記録　堤清二×辻井喬オーラルヒストリー』）

・・・・・・・・・

おもちゃの軍隊は「祖国防衛隊」から「楯の会」に改名され、自衛隊で訓練を続けるうちに、実体のあるものになってくる。

新宿騒乱と治安出動

三島は新左翼がどこまでやるか期待していた。

一九六八年一〇月二一日の国際反戦デーに、三島は「楯の会」会員、陸軍自衛官で「楯の会」の事実上の指導官だった山本舜勝、陸上自衛隊調査学校の学生らと一緒に、調査のため参加した。火炎瓶の黒煙や催涙ガスが充満する中、三島は目を真っ赤に充血させながら身じろぎもせずに機動隊と全学連の攻防戦を見つめていたという。

その後、銀座に移動し、交番の屋根の上から、石が飛び交う激しい市街戦を見た。

この日、六本木の防衛庁にも新左翼の社学同が突入しようとし、機動隊が放水で応戦するが正門は突破されてしまった。

三島は新左翼の暴動を鎮圧する自衛隊治安出動の機会を予想した。

その時に楯の会が斬り込み隊として自衛隊の手が及ばないところに加勢し、それに乗じて自衛隊国軍化・憲法九条改正を超法規的に実現する計画を構想し始めた。

一九六九年一月一八日、反日本共産党系の新左翼学生らが東京大学安田講堂を占拠する東大安田講堂事件が起きた。一九日、警視庁機動隊と学生らとの攻防戦を見ていた三島は、新左翼が時計台から飛び降り自決して共産主義と日本主義が結びつくことを防ぐため、「ヘリコプターで催眠ガスを撒いて眠らせてくれ」と警視庁に電話を入れた。

しかし、命を懸けるような東大生はいなかった。

三島は、あっけなく投降する全共闘に安堵すると同時に失望し、最終的には自分たちとは価値観が違うことを悟って軽蔑するようになった。

もっとも、すでに三島は絶望していた。

・・・・・・・・・

われわれは戦後の革命思想が、すべて弱者の集団原理によつて動いてきたことを洞察した。いかに暴力的表現をとらうとも、それは集団と組織の原理を離れえぬ弱者の思想である。不安、懐疑、嫌悪、憎悪、嫉妬を撒《ま》きちらし、これを恫喝《どうかつ》の材料に使ひ、これら弱者の最低の情念を共通項として、一定の政治目的へ振り向けた集団運動であ

市ヶ谷駐屯地乱入の数日前に撮影された「楯の会」のメンバー。左から森田必勝、古賀浩靖、三島、小川正洋、小賀正義。

る。空虚にして観念的な甘い理想の美名を掲げる一方、もつとも低い弱者の情念を基礎として結びつき、以て過半数《マジョリティ》を獲得し、各小集団小社会を「民主的に」支配し、以て少数者《マイノリティ》を圧迫し、社会の各分野へ浸透して来たのがかれらの遣口《やりくち》である。

われわれは強者の立場をとり、少数者から出発する。日本精神の清明、闊達、正直、道義的な高さはわれわれのものである。再び、有効性は問題ではない。なぜならわれわれは、われわれの存在ならびに行動を、未来への過程とは考へないからである。

(「反革命宣言」)

しかし、われわれ反革命の立場は、現在の時点における民衆の支持や理解をあてにすることはできない。われわれは先見し、予告し、先取りし、そして、民衆の非難、怨嗟《ゑんさ》、罵倒《ばたう》をすら浴びながら彼らの未来を守るほかはないのである。

さらに正確に言へば、われわれは彼らの未来を守るのではなく、彼らがなほ無自覚でありながら、実は彼らを存在せしめてゐる根本のもの、すなはち、わが歴史・文化・伝統を守るほかはないのである。これこそは前衛としての反革命であり、前衛としての反革命は世論、今や左も右も最もその顔色をうかがつてゐる世論の支持によつて動くのではない。

われわれは先見によつて動くのであり、あくまで少数者の原理によつて動くのである。

したがつて反革命は外面的には華々しいものになり得ないかもしれないが、革命状況を厳密に見張つて、もし革命勢力と現政権とが直結しさうな時点をねらつて、その瞬間に打破粉砕するものでなければならない。このためには民衆の支持をあてにすることはできないだらう。いかなる民衆の罵詈誹謗も浴びる覚悟をしなければならない。

（中略）

政府にすら期待してはならない。政府は、最後の場合には民衆に阿諛《あゆ》することしか考へないであらう。世論はいつも民主社会における神だからである。われわれは民主社会における神である世論を否定し、最終的には大衆社会の持つてゐるその非人間性を否定しようとするのである。（同前）

…………


「革命勢力と現政権とが直結しさうな時点。」

それこそそれは今ではないか。

遅れてきた近代

三島は軍部に批判的だった。

……………

（前略）二・二六事件その他の皇道派が、根本的に改革しようとして、失敗したものでありますが、結局勝ちをしめた統制派といふものが、一部いはゆる革新官僚と結びつき、しかもこの革新官僚は左翼の前歴がある人が沢山あつた。かういふものと軍のいはゆる統制派的なものと、そこに西欧派の理念としてのファシズムが結びついて、まあ、昭和の軍国主義といふものが、昭和十二年以降に始めて出てきたんだと外人に説明するんです。私は、日本の軍国主義といふものは、日本の近代化、日本の工業化、すべてと同じ次元のものだ、全部外国から学んだものだ、と外国人にいふんです。

（「武士道と軍国主義」）

・・・・・・・・・

三島は、西欧の理念が《軍人に権力をとらせ、軍人を増長させ》、言論統制により《いじるべからざる文化》をいじったと批判した。東條英機のような人物が《私怨をもつて人々を二等兵に駆り立て》前線へ押し出したと。

普通に考えて、大東亜戦争は近代や西欧の理念との戦いではなかった。逆に、日本の遅れて受容した近代主義が先行した近代主義と衝突したと見るのが妥当だろう。

三島は言う。

・・・・・・・・・

明治国家は、西欧の政治体制と日本の国体との折衷的結合を企て、立憲君主政体といふ擬制を採用した。戦後日本は、この折衷的結合を切り離され、議会制民主主義と、象徴天皇制との、不即不離の関係に入つたが、一面このために、却《かえ》つて天皇の文化的非権力的本質が明らかになつたといへる。回復すべきものは、再びグロテスクな折衷主義ではない。況《いは》んや、文化の連続性を破壊するが如き共和制ではない。

われわれは天皇の真姿を開顕するために、現代日本の代議制民主主義がその長所とする言論の自由をよしとするものである。なぜなら、言論の自由によつて最大限に容認される日本文化の全体性と、文化概念としての天皇制との接点にこそ、日本の発見すべき新らしく又古い「国体」が現はれるであらうからである。（「反革命宣言」）

………

三島の敵は右と左から発生する全体主義だった。

………

言論の自由を保障する政体として、現在、われわれは複数政党制による議会主義的民主主義より以上のものを持つてゐない。

この「妥協」を旨とする純技術的政治制度は、理想主義と指導者を欠く欠点を有するが、言論の自由を守るには最適であり、これのみが、言論統制・秘密警察・強制収容所を必然的に随伴する全体主義に対抗しうるからである。（同前）

………

三島は言論の自由を保障するだけでは足りないと考えた。それは《我々の伝統と我々の歴史の連続性を保障するもの》でなければならない。そのためには天皇を政治概念としてではなく、歴史的な古い文化概念として捉えるべきだと主張した。

天皇を一種の文化、国民の文化共同体の中心として捉えるような政治形態にするために、三島は栄誉大権の復活が必要だと考えた。それにより、天皇と軍隊をつなぐわけだ。

こうした三島の主張を、評論家の橋川文三は、「美の論理と政治の論理」で批判した。国学者が構想した天皇政治の美的ユートピアは、事実として崩壊している。三島が言うような「歴史的な古い文化概念としての天皇」は空想にすぎない。天皇と軍隊をつなげれば「政治的概念としての天皇」の部分が出てこざるを得ないと。

論理としてはそのとおりである。私もそう思う。

橋川文三（1922-1983）／評論家、政治学・政治思想史研究者。

しかし、あらためて言えば、三島が問いかけているのは、近代と唯一神教の問題である。

………

（日本国憲法の矛盾は）第一条に於て、天皇といふ、超個人的、伝統的、歴史的存在の、時間的連続性（永遠）の保証者たる機能を、「国民主権」といふ、個人的、非伝統的、非歴史的、空間的概念を以て裁いたといふ無理から生じたものである。これは、「一君万民」といふごとき古い伝承観念を破壊して、むりやりに、西欧的民主主義理念と天皇制を接着させ、移入の、はるか後世の制度によつて、根生《ねおい》の、昔からの制度を正当化しようとした、方法的誤謬《ごびゅう》から生れたものである。

（「問題提起」）

「はじめに」でも述べたように、三島はこれを「西欧の神を以て日本の神を裁き、まつろわせた条項」と喝破した。

そして戦後のいはゆる「文化国家」日本が、米占領下に辛うじて維持した天皇制は、その二つの側面をいづれも無力化して、俗流官僚や俗流文化人の大正的教養主義の帰結として、大衆社会化に追随せしめられ、いはゆる「週刊誌天皇制」の域にまでそのディグニティーを失墜せしめられたのである。天皇と文化とは相関はらなくなり、左右の全体主義に対抗する唯一の理念としての「文化概念たる天皇」「文化の全体性の統括者としての天皇」のイメージの復活と定位は、つひに試みられることなくして終つた。かくて文化の尊貴が喪はれた一方、復古主義者は単に政治概念たる天皇の復活のみを望んで来たのであつた。（「文化防衛論」）

アメリカの属国

三島は改憲により自衛隊がアメリカの指揮下に入ることを危惧した。

……………

私の考へはかうです。政府がなすべきもつとも重要なことは、単なる安保体制の堅持、安保条約の自然延長などではない。集団保障体制下におけるアメリカの防衛力と、日本の自衛権の独立的な価値を、はつきりわけてＰＲすることである。（「三島帰郷兵に26の質問」）

こうした思考整理ができていないから、二〇一五年の安保法制騒動のようなものが発生するのである。この問題の根本は、そもそも集団的自衛権を現行憲法の枠内で通せるか否かだった。集団的自衛権とは、「ある国家が武力攻撃を受けた場合に直接に攻撃を受けていない第三国が協力して共同で防衛を行う権利」である。普通に憲法を読めば通せないことは自明だ。ほとんどの憲法学者が「違憲」と明言し、集団的自衛権の行使は「従来の政府見解の基本的な論理の枠内では説明がつかない」と指摘したが当然である。

仮に憲法との整合性の問題がクリアできたとしても、集団的自衛権の行使がわが国の国益につながるかどうかはまた別の問題。国益につながるなら、議論を継続し、正当な手続きを経た上で、法案を通せばいいだけの話。

ところが安倍晋三は、お仲間を集めて有識者懇談会をつくり、そこで集団的自衛権を行使できるようにお膳立てをしてもらってから閣議決定し、「憲法解釈の基本的論理は全く変わっていない」「アメリカの戦争に巻き込まれることは絶対にない」「自衛隊のリスクが下がる」などとデマを流し、法制局長官の首をすげ替え、アメリカで勝手に約束してきて、最後に国会に諮り、強行採決した。

要するに順番が逆。集団的自衛権が必要であったとしても、国を運営する手続きを歪めてしまったら、大変なことになる。集団的自衛権の行使が必要かどうかという話と、現行憲法に照らし合わせて合憲といえるかどうかはまったく別の話なのに、それが理解できない自称保守も散見された。

仕舞いには首相補佐官の礒崎陽輔が「法的安定性は関係ない」と言い出した。

こうした国の危機に対し、自称保守は「集団的自衛権は国連憲章で認められているじゃないか」とか「そもそも日米安保は集団的自衛権だ」とか「砂川事件の最高裁判決が」とか「これまでも政府は憲法解釈をしてきたのになぜ今回だけダメなのか」とか「尖閣諸島が危ない」とか「それなら自衛隊だって違憲だろ」とか頓珍漢なことを言って騒いでいた。

一方頭の悪い左翼は集団的自衛権の行使の是非に問題を矮小化し、「戦争反対」「9条を守れ」などと本質からずれたことを言っていた。

安保法制問題の本質は、時の政権がルールを都合よく変えたということである。国家に攻撃を仕掛けたということである。現実を把握できていないのだから、粛々とおかしな法案が通っていく。こうして、花畑左翼と自称保守は共犯関係になった。思考停止に思考停止が重なり、国は大きく傾き始めた。

三島は言う。

　　　　　……………

われわれはもはや、根本的な改革の時代を生きてゐないと言はねばなりません。なぜなら、憲法改正のはてには再軍備強化によるアメリカ化が、あるひは左翼の言葉でいへば、アメリカ的独占資本主義化が、ますます進むおそれもあり、また憲法自らは、相変はらず偽善的なただ乗り主義と、肩身の狭いやうにみえる防衛義務と相携へていかねばならんといふ跛行《はこう》的状況の永続を意味し、われわれが矛盾に耐へるのをおそれれば、みすみす外国の術中に陥り、われわれが矛盾を甘受すれば、知らない間に精神の弛緩状態に陥つて、ますます現状維持の泥沼に沈むかもしれないからです。（「70年代新春の呼びかけ」）

　　　　　……………

三島は防衛問題について、日本にとっての「武器と魂」の関係に立ち戻ることが必要だと考えた。三島が憲法改正を訴えたのは「日本のカルチャーと西洋のシビライゼーションとの対決の問題」を明らかにするためだった。

・・・・・・・・・

私は九条の改廃を決して独立にそれ自体として考へてはならぬ、第一章「天皇」の問題と、第二十条「信教の自由」に関する神道の問題と関連させて考へなくては、折角「憲法改正」を推進しても、却《かえ》つてアメリカの思ふ壺におちいり、日本が独立国家として、日本の本然の姿を開顕する結果にならぬ、と再々力説した。

（中略）

その代りに、日本国軍の創立を謳《うた》ひ、建軍の本義を憲法に明記して、次の如く規定するべきである。

「日本国軍隊は、天皇を中心とするわが国体、その歴史、伝統、文化を護持することを本義とし、国際社会の信倚《しんい》と日本国民の信頼の上に建軍される」

（中略）

自国の正しい建軍の本義を持つ軍隊のみが、空間的時間的に国家を保持し、これを主体的に防衛しうるのである。現自衛隊が、第九条の制約の下に、このやうな軍隊に成育しえないことには、日本のもつとも危険な状況が孕まれてゐることが銘記されねばならない。（「問題提起」）

・・・・・・・・・・・

こうした三島の主張は完全に無視されたと言っていい。

なぜか？

日本人は独立を望まなかったからだ。

陸上自衛隊市ヶ谷駐屯地

写真左が森田必勝。右は三島。憲法改正のために自衛隊の決起を呼びかけた。

一九七〇年（昭和四五）一一月二五日、三島は陸上自衛隊市ヶ谷駐屯地内東部方面総監部の総監室を森田必勝ら楯の会会員四名と共に訪れ、面談中に突如、益田兼利総監を人質にして籠城する。そして、バルコニーから檄文を撒き、自衛隊の決起を促す演説をした直後に割腹自決した。

三島は楯の会を育ててくれた自衛隊に対する恩義は忘れないという。そしてこのような「忘恩的行為」に出たのは、

《たとえ強弁と言はれようとも自衛隊を愛するが故である》と述べた。
三島が撒いた「檄」にはこうあった。

………

われわれは戦後の日本が、経済的繁栄にうつつを抜かし、国の大本《おおもと》を忘れ、国民精神を失ひ、本を正さずして末に走り、その場しのぎと偽善に陥り、自ら魂の空白状態へ落ち込んでゆくのを見た。政治は矛盾の糊塗、自己の保身、権力欲、偽善にのみ捧げられ、国家百年の大計は外国に委《ゆだ》ね、敗戦の汚辱は払拭されずにただごまかされ、日本人自ら日本の歴史と伝統を瀆《けが》してゆくのを、歯嚙みしながら見てゐなければならなかつた。われわれは今や自衛隊にのみ、真の日本、真の日本人、真の武士の魂が残されてゐるのを夢見た。しかも法理論的には、自衛隊は違憲であることは明白であり、国の根本問題である防衛が、御都合主義の法的解釈によつてごまかされ、軍の名を用ひない軍として、日本人の魂の腐敗、道義の頽廃《たいはい》の根本原因をなして来てゐるのを見た。もつとも名誉を重んずべき軍が、もつとも悪質の欺瞞の下に放置されて来たのである。自衛隊は敗戦後の国家の不名誉な十字架を負ひつづけて来た。自衛隊は国軍たりえず、建軍の本義を与へられず、警察の物理的に巨大なものとしての地位しか与へられず、その忠誠の対象も明確にされなかつた。（「檄」）

……………

こうした状況は三島の死後五〇年経っても何ひとつ変わっていない。それどころか、後述するように、戦後の欺瞞にさらに欺瞞を重ねた加憲論が取りざたされるような情勢である。

二〇一五年一〇月五日、安倍晋三は、不平等条約である環太平洋戦略的経済連携協定（TPP）交渉が大筋合意したことについて「国家百年の計だ」と言い放った。

「檄」はこう続く。

……………

われわれは戦後のあまりに永い日本の眠りに憤つた。自衛隊が目ざめる時こそ、日本が目ざめる時だと信じた。自衛隊が自ら目ざめることなしに、この眠れる日本が目ざめることはないのを信じた。憲法改正によって、自衛隊が建軍の本義に立ち、真の国軍となる日のために、国民として微力の限りを尽すこと以上に大いなる責務はない、と信じた。（同前）

・・・・・・・・・

バルコニーで演説する三島に対し、自衛官たちは「聞こえねえぞ」「引っ込め」「下に降りてきてしゃべれ」「おまえなんかに何がわかるんだ」「ばかやろう」と野次を飛ばした。

自衛官の罵倒

三島は小説家の林房雄にこう言っている。

……………

大衆社会化については、僕が書いた「林房雄論」のなかでも言ったが、これから「敵は俗衆だ」ということを書いたことがありました。あの本を書いたときに予感としてあったのは、かなりいま現実に出てきましたけれどもね。これは、インダストリアリゼーションの必然的結果で、工業化の果てに、精神的空白なり荒廃がくるというのは、どこの国でも同じ現象だと思います。（『対話・日本人論』）

・・・・・・・・・

その精神的空白を埋める努力は失敗した。
三島は左翼にも一般民衆にも絶望した。
「忠義」は枯野に野垂れ死にするだけだし、笑いものになり、狂人扱いされる。

吉田松蔭（1830-1859）／思想家、教育者、長州藩士。明治維新の精神的指導者、倒幕論者。

三島は吉田松陰が《孤立して狂っているのではないかと疑われるほど精神が先鋭化していくのを自覚したに違いない》と言う。
そして三島も「狂」の道へ足を踏み入れた。

・・・・・・・・・

銘記せよ！　実はこの昭和四十四

年十月二十一日といふ日は、自衛隊にとつては悲劇の日だつた。創立以来二十年に亘《わた》つて、憲法改正を待ちこがれてきた自衛隊にとつて、決定的にその希望が裏切られ、憲法改正は政治的プログラムから除外され、相共に議会主義政党を主張する自民党と共産党が、非議会主義的方法の可能性を晴れ晴れと払拭した日だつた。論理的に正に、この日を境にして、それまで憲法の私生児であつた自衛隊は、「護憲の軍隊」として認知されたのである。これ以上のパラドックスがあらうか。

　われわれはこの日以後の自衛隊に一刻一刻注視した。われわれが夢みてゐたやうに、もし自衛隊に武士の魂が残つているならば、どうしてこの事態を黙視しえよう。自らを否定するものを守るとは、何たる論理的矛盾であらう。男であれば、男の矜《ほこ》りがどうしてこれを容認しえよう。我慢に我慢を重ねても、守るべき最後の一線をこえれば、決然起《た》ち上るのが男であり武士である。われわれはひたすら耳をすました。しかし自衛隊のどこからも、「自らを否定する憲法を守れ」といふ屈辱的な命令に対する、男子の声はきこえては来なかつた。かくなる上は、自らの力を自覚して、国の論理の歪《ゆが》みを正すほかに道はないことがわかつているのに、自衛隊は声を奪はれたカナリヤのやうに黙つたままだつた。

　われわれは悲しみ、怒り、つひには憤激した。諸官は任務を与へられなければ何も

1970年11月25日、市谷自衛隊駐屯部隊1号館のバルコニーで演説する三島。

できぬといふ。しかし諸官に与へられる任務は、悲しいかな、最終的には日本からは来ないのだ。シヴィリアン・コントロールが民主的軍隊の本姿である、といふ。しかし英米のシヴィリアン・コントロールは、軍政に関する財政上のコントロールである。日本のやうに人事権まで奪はれて去勢され、変節常なき政治家に操られ、党利党略に利用されることではない。

この上、政治家のうれしがらせに乗り、より深い自己欺瞞と自己冒瀆《ぼうとく》の道を歩まうとする自衛隊は魂が腐つたのか。武士の魂はどこへ行つたのだ。魂の死んだ巨大な武器庫になつて、どこへ行かうとするのか。（「檄」）

・・・・・・・・・

安倍晋三は憲法九条に自衛隊を明記し「違憲論争に終止符を打つ」と表明した。九条の一項（戦争の放棄）、二項（戦力の不保持と交戦権の否認）をそのままにして自衛隊の存在を明記するのは、自国の軍隊の法的な立場を明確にするという改憲派が積み上げてきた議論を全部ぶち壊したということだ。

これは戦後の欺瞞に欺瞞を積み重ね、憲法の意味を破壊するということである。

これに対し、自衛隊の制服組トップの河野克俊統合幕僚長は「自衛隊の根拠規定が憲法に明記されるのであればありがたい」と発言（二〇一七年五月二三日）。元統合幕僚長の斎藤隆は「二項が維持されれば、自衛隊は『陸海空軍』とは切り離された特殊な存在であり続ける可能性はある。しかし、根拠規定が明記され、合憲と整理された後に、軍隊とは何か、自衛隊とどう違うのかなどのかみあった議論につながっていくのではないか」「最終的には国民の判断だ」（『読売新聞』二〇一七年五月三〇日）とインタビューに答えていた。

頭がクラクラ。

案の定、自称保守や「改憲派」は表立って安倍を批判することはなかった。

「檄」の最後は次のように締めくくられている。

………

沖縄返還とは何か？　本土の防衛責任とは何か？　アメリカは真の日本の自主的軍隊が日本の国土を守ることを喜ばないのは自明である。あと二年の内に自主権を回復せねば、左派のいふ如く、自衛隊は永遠にアメリカの傭兵として終るであらう。

われわれは四年待つた。最後の一年は熱烈に待つた。もう待てぬ。自ら冒瀆する者を待つわけにはいかぬ。しかしあと三十分、最後の三十分待たう。共に起つて義のために共に死ぬのだ。日本を日本の真姿に戻して、そこで死ぬのだ。生命尊重のみで、魂は死んでもよいのか。生命以上の価値なくして何の軍隊だ。今こそわれわれは生命尊重以上の価値の所在を諸君の目に見せてやる。それは自由でも民主主義でもない。日本だ。われわれの愛する歴史と伝統の国、日本だ。これを骨抜きにしてしまつた憲法に体をぶつけて死ぬ奴はゐないのか。もしゐれば、今からでも共に起ち、共に死なう。われわれは至純の魂を持つ諸君が、一個の男子、真の武士として蘇へることを熱望するあまり、この挙に出たのである。（同前）

………

三島に向かって自衛官たちは「気違い」「そんなのいるもんか」「ひきずり降ろせ」「銃で撃て」といった野次を浴びせた。その怒声やヘリコプターの音で、三島の演説はかき消された。

おわりに　日本人は豚になる

三島は日本の将来を危惧した。
そして警告を発した。

……………

私はこれからの日本に大して希望をつなぐことができない。このまま行つたら日本はなくなつてしまうのではないかといふ感を日ましに深くする。日本はなくなつて、その代はりに、無機質な、からつぽな、ニュートラルな、中間色の、富裕な、抜目がない、或る経済的大国が極東の一角に残るのであらう。それでもいいと思つている人たちと、私は口をきく気にもなれなくなつてゐるのである。（「果たし得てゐない約束」）

・・・・・・・・・

三島の警告は外れた。

もちろん悪いほうに。

日本はすでに経済大国ですらない。

憲法の恣意的な解釈、公文書の改竄、データの捏造、日報の隠蔽などがまかり通る三流国になっている。無機質でからっぽであり、卑劣で貧相で抜け目しかない。

ついに日本政府は「北方領土」という言葉を使うなと言い出した。すでに二〇一九年版の外交青書で「北方四島は日本に帰属する」との表現が削除されていたが、安倍と周辺の一味は売国どころか、上納金と一緒に国土をプーチンに献上してしまった。

国を破壊する勢力を、国民の多数が七年八カ月間も放置した結果である。

バカがバカを担げば、当然バカな国になる。

そしてこの先もバカ路線は続くのだろう。

三島は言う。

・・・・・・・・・

アジアにおける西欧的理念の最初の忠実な門弟は日本であつた。しかし日本は近代史をあまりに足早に軽率に通りすぎ、まがひもののファシズムをさへ通りすぎて、今や西欧的絶望の仲間入りをして、アメリカを蔑《さげす》んだりしてゐるのである。

（中略）

日本はほぼ一世紀前から近代史の飛ばし読みをやつてのけた。その無理から生じた歪《ゆが》みは、一世紀後になつてみじめに露呈されたが、世界各地の後進諸国で、今や近代史の飛ばし読みがはじまつてゐる。一度動きだしたら、もうゆつくり読んでゐる暇はないのだ。（「亀は兎に追いつくか？」）

・・・・・・・・・

日本人は近代を理解しなかった。現実から目を背け続けた。

近代がわからないということは、国家（ステート）も国民（ネイション）もわからないということであり、保守（反理想）も右翼（復古）も左翼（近代主義）もわからないということだ。

三島はそれでも希望をつなげようとした。

・・・・・・・・・

ただ日本人の伝統の観念についてだけは、言つておく必要がある。

フランス人やイタリー人が伝統の重圧にあへいでゐるといふと、いかにも実感があるのは、古代や中世以来の石の建築がのこつてゐて、今の人たちも十八世紀の建物にセントラル・ヒーティングを施して住んでゐるからであるが、日本の伝統は大てい木と紙で出来てゐて、火をつければ燃えてしまふし、放置つておけば腐つてしまう。伊勢の大神宮が二十年毎に造り替へられる制度は、すでに千年以上の歴史を持ち、この間五十九回の遷宮が行はれたが、これが日本人の伝統といふものの考へ方をよくあらはしてゐる。西洋ではオリジナルとコピイとの間には決定的な差があるが、木造建築の日本では、正確なコピイはオリジナルと同価値を生じ、つまり次のオリジナルになるのである。京都の有名な大寺院も大てい何度か火災に会つて再建されたものである。

かくて伝統とは季節の交代みたいなもので、今年の春は去年の春とおなじであり、去年の秋は今年の秋とおなじである。（「アメリカ人の日本神話」）

……………

平成の三〇年間にわたる「改革祭り」により、日本は焦土と化した。特にその総仕上げと呼べる安倍政権は精神面においても完全に日本を破壊した。元駐日米大使のウォルター・モンデールは、一九九五年の米軍普天間飛行場の返還交渉で、日本側が米海兵隊の駐留継続を望んでいたと暴露している。戦後の欺瞞も行き着くところまで来た。

三島は続ける

ウォルター・モンデール（1928-）／カーター政権で第42代米国副大統領。第24代駐日大使。

…………

二十年目毎の改築と遷宮、これは実に象徴的である。終戦後十五年目あたりから、もうすつかり死に絶えたと誰もが思つてゐた古い日本思想が、あなどりがたい力で復活して、若い世代の一部を惹《ひ》きつけてゐる。一九六〇年に、十五年ぶりでハラキリが復活した。岸内閣の政治に憤慨した或る僧侶が、官邸の前で切腹したのである。これから又たびたびハラキリが出て来ても、おどろくには当たらないのである。サムラヒもやがて復活することであらう。（同前）

…………

ハラキリが衝撃を与えた時代は終わった。

今ではせいぜいドキュメンタリー映画でノスタルジーとともに消費されるだけである。

サムラヒは復活しない。

むしろ私は三島のこちらの文章に共感する。

・・・・・・・・・

今この危機感が全然ないといふやうな時代になつてきて、今、世界中で一番呑気《のんき》なのは日本かもしれないんですが、日本に果たして、かういふ危機がもし生じた場合、対処するやうな大きな精神的基盤があるだらうか。いや、日本人は大丈夫だ、日本人といふのは放つておいても、いざといふ時にやるさ。ところが、放つておくうちにですね、お腹の脂肪が一センチづつだんだんだんだん膨らんでくるのが、皆さんの体験的事実としてご存じだと思ふんです。そして、人間といふのは豚になる傾向もつてゐるんです。

私は今日人間だと思つても、明日自分が豚になるかもしれないといふ恐怖でいつも生きてきた。やつぱり豚にならないためには、そして脂肪が蓄積しないためには、絶えず精神を研ぎすまし、例へば日本刀を毎日磨くやうに、磨ゐていかなきや人間てのはダメになると。日本人はその一日一日ダメになつていくといふことに気がつかないんぢやないか。（「我が国の自主防衛について」）

・・・・・・・・・

日本人は豚になった。
精神の豚が精神の豚を担ぎ上げ、一日一日ダメになっていった。
豚はどう転んでも豚である。
われわれ人間ができるのは正気を保ち、豚と距離を置くことだけだ。

適菜 収

初出　「適菜収のメールマガジン」２０１９年11月25日〜２０２０年９月28日
なお、新仮名と旧仮名の使い分けについては、『決定版　三島由紀夫全集』の表記に従いました。

●参考文献

『決定版　三島由紀夫全集』（新潮社）
『ニーチェ全集』（ちくま学芸文庫）
『小林秀雄全集』（新潮社）
『身体巡礼─ドイツ・オーストリア・チェコ編』養老孟司（新潮文庫）
『日本人の美意識』ドナルド・キーン（中公文庫）
『徒然草』吉田兼好（岩波文庫）
『全体主義の起原』H・アレント／大久保和郎、大島かおり訳（みすず書房）
『ゲーテとの対話』エッカーマン／山下肇訳（岩波文庫）
『人生について─ゲーテの言葉』ゲーテ／関泰祐訳
『政治における合理主義』マイケル・オークショット／嶋津格他訳（勁草書房）
『日本を救うC層の研究』適菜収（講談社）
『ミシマの警告　保守を偽装するB層の害毒』適菜収（講談社＋α新書）
『小林秀雄の警告　近代はなぜ暴走したのか？』適菜収（講談社＋α新書）
『シーシュポスの神話』カミュ／清水徹訳（新潮文庫）
『民族とネイション』塩川伸明（岩波新書）
『文明論之概略』福沢諭吉（岩波文庫）
『わが記憶、わが記録　堤清二×辻井喬オーラルヒストリー』御厨貴・橋本寿朗・鷲田清一＝編（中公文庫）

［著者紹介］

適菜 収

てきな・おさむ

1975年山梨県生まれ。作家。作詞家。ニーチェの代表作『アンチ・クリスト』を現代語訳にした『キリスト教は邪教です！』、『ゲーテの警告 日本を滅ぼす「B層」の正体』、『ニーチェの警鐘 日本を蝕む「B層」の害毒』、『ミシマの警告 保守を偽装するB層の害毒』（以上、講談社+α新書）、『日本をダメにしたB 層の研究』（講談社+α文庫）、『日本を救うC層の研究』、呉智英との共著『愚民文明の暴走』（以上、講談社）、『なぜ世界は不幸になったのか』（角川春樹事務所）、『現代日本バカ図鑑』（文藝春秋）、『平成を愚民の時代にした30人のバカ』（宝島社）、『死ぬ前に後悔しない読書術』、『安倍でもわかる政治思想入門』、『安倍でもわかる保守思想入門』、『安倍政権とは何だったのか』、『問題は右でも左でもなく下である』、『もう、きみには頼まない　安倍晋三への退場勧告』、清水忠史との共著『日本共産党政権奪取の条件』、『国賊論　安倍晋三と仲間たち』（以上、KKベストセラーズ）など著書多数。

日本人《にほんじん》は豚《ぶた》になる
三島由紀夫《みしまゆきお》の予言《よげん》

2020年11月15日　初版第1刷発行
2023年10月25日　初版第2刷発行

著者
適菜《てきな》 収《おさむ》

発行者
鈴木康成

発行所
株式会社ベストセラーズ
〒112-0013　東京都文京区音羽1-15-15 シティ音羽2階
電話 03-6304-1832（編集） 03-6304-1603（営業）

印刷製本
錦明印刷

D T P
オノ・エーワン

装幀
竹内雄二

写真
アフロ，朝日新聞フォトアーカイヴ，ゲッティイメージズ，時事通信フォト

ISBN978-4-584-13973-8 C0095